CLASSIQUES L...

Collection fondée en 1933 p...
continuée par
LÉON LEJEALLE (1949 à 1968) et JEAN-POL CAPUT (1969 à 1972)
Agrégés des Lettres

VICTOR HUGO

LES MISÉRABLES

extraits

II

avec une Notice biographique, une Notice historique et littéraire,
des Notes explicatives, une Documentation thématique,
des Jugements, un Questionnaire et des Sujets de devoirs,

par

MICHEL CAMBIEN
Agrégé des Lettres

448
HUG

LIBRAIRIE LAROUSSE

17, rue du Montparnasse, 75298 PARIS

S0-AKI-033

RÉSUMÉ CHRONOLOGIQUE
DE LA VIE DE VICTOR HUGO
1802-1885

1802 — **Naissance** de Victor Hugo, le 26 février, à **Besançon**; fils de Joseph-Léopold-Sigisbert Hugo, capitaine sorti du rang, républicain, et de Sophie Trébuchet, fervente catholique. En 1798 était né Abel et en 1800 Eugène, frères de Victor Hugo.

1803 — Son père est muté en Corse, puis va en garnison à l'île d'Elbe.

1804 — Victor Hugo vit avec sa mère à Paris, rue Neuve-des-Petits-Champs, où il habitera durant quatre années.

1807 — Son père, promu colonel, est nommé près de Naples.

1808 — Sophie Hugo l'y rejoint avec ses enfants. Le colonel Hugo part pour l'Espagne.

1809 — L'enfant rentre à Paris avec sa mère. Ils s'installent aux **Feuillantines**, dont Hugo conservera un souvenir poétique.

1811-1812 — Sa mère ayant rejoint son mari à **Madrid**, le jeune Hugo passe quelque temps dans un **collège espagnol**. A la séparation de ses parents, il revient à Paris, aux Feuillantines.

1814 — Sa mère s'installe, avec ses enfants, rue des Vieilles-Thuilleries. Un jugement sanctionnant la séparation de ses parents enlève à Sophie Hugo la garde d'Eugène et de Victor; celui-ci sera mis à la pension Cordier jusqu'en 1818. (Il suivra les cours du lycée Louis-le-Grand de 1816 à 1818.)

1817-1819 — Il obtient un certain succès dans deux concours proposés par l'Académie française (mention), au concours général (accessit en physique) et reçoit deux récompenses de l'académie de Toulouse. Entre-temps, il était retourné chez sa mère, rue des Petits-Augustins. Il fonde le *Conservateur littéraire*, bimensuel, auquel collaborent Vigny et Emile Deschamps, et qui disparaîtra deux ans plus tard, à la suite de difficultés financières. Il écrit une première version de *Bug-Jargal*.

1820 — Il reçoit une gratification de Louis XVIII pour une ode sur *la Mort du duc de Berry* et un prix de l'académie des jeux Floraux de Toulouse. Il est présenté à Chateaubriand.

1821 — Mort de sa mère (27 juin).

***

1822 — La publication d'*Odes et Poésies diverses* lui fait obtenir une pension. Il se **marie** le 12 octobre, à Saint-Sulpice, avec **Adèle Foucher**.

1823 — *Han d'Islande*, roman, lui rapporte ses premiers droits d'auteur. — Son premier enfant, Léopold, meurt à deux mois et demi (octobre). — Il crée *la Muse française* (revue).

© *Librairie Larousse*, 1973.   ISBN 2-03-870065-6

1824 — Le 28 août naît Léopoldine. Il publie *Nouvelles Odes* et fréquente le Cénacle de Ch. Nodier, bibliothécaire de l'Arsenal.

1825 — Charles X lui confère la Légion d'honneur.

1826 — Naissance de Charles, fils du poète (3 novembre). — Publication des *Odes et Ballades*. Deuxième version de *Bug-Jargal*.

1827 — A la suite d'un article du *Globe* sur ses *Odes et Ballades*, Hugo lie connaissance avec Sainte-Beuve, s'installe rue Notre-Dame-des-Champs, où se réunit le nouveau Cénacle. Parution en librairie du drame de *Cromwell*, précédé d'une longue *Préface*.

1828 — Son père meurt (29 janvier). Naissance de son fils François-Victor (21 octobre).

1829 — Le Cénacle accueille de nouveaux membres, dont Musset, Mérimée, Vigny. Publication des *Orientales* et du *Dernier Jour d'un condamné*, roman. La pièce *Marion de Lorme* est interdite par la censure. Répétitions orageuses d'*Hernani* à la Comédie-Française.

⁎

1830 — Bataille, puis triomphe d'*Hernani,* dont la première représentation a lieu le 25 février. Hugo vit dans l'aisance et s'installe rue Jean-Goujon.

1831 — Publication de *Notre-Dame de Paris* et représentation de *Marion de Lorme* au théâtre de la Porte-Saint-Martin. En décembre paraissent *les Feuilles d'automne.*

1832 — Le gouvernement ayant interdit *Le roi s'amuse*, Hugo renonce à sa pension. En octobre, Victor Hugo s'installe au 6, place Royale (actuellement place des Vosges).

1833 — Il donne, au théâtre de la Porte-Saint-Martin, *Lucrèce Borgia*, puis *Marie Tudor*. Son ménage étant désuni par les intrigues de Sainte-Beuve, il se lie avec **Juliette Drouet.** Cette liaison durera cinquante ans.

1834 — *Littérature et philosophie mêlées. Claude Gueux.*

1835 — *Angelo*, drame. Après la publication des *Chants du crépuscule*, Hugo présente, sans succès, sa candidature à l'Académie française.

1837 — Il publie *les Voix intérieures.*

1838 — Hugo inaugure le théâtre de la Renaissance avec *Ruy Blas,* qui obtient un franc succès (50 représentations). Il prend l'habitude de noter des « choses vues ».

1839 — Intervention auprès de Louis-Philippe en faveur de Barbès, condamné à mort. — Au cours d'un séjour de vacances à Villequier, Léopoldine Hugo s'éprend de Charles Vacquerie. — Victor Hugo fait, en compagnie de Juliette Drouet, un voyage en Alsace, en Rhénanie, en Suisse et dans le Midi.

1840 — Après un nouvel échec à l'Académie, Hugo publie *les Rayons et les Ombres.* — Il fait, d'août à octobre, un nouveau voyage sur les bords du Rhin et dans la vallée du Neckar. Il publie, en décembre, le *Retour de l'Empereur*, commémorant ainsi le retour des cendres de Napoléon Ier.

1841 — Soutenu notamment par Thiers et Guizot, Victor Hugo est **élu à l'Académie française**; il fréquente, dès lors, assidûment chez le duc d'Orléans.

1842-1843 — Hugo mène une vie mondaine, publie *le Rhin*, et, devant l'échec des *Burgraves* (mars 1843), décide de renoncer au théâtre. — A peine mariés depuis sept mois, **Léopoldine et Charles Vacquerie se noient**, le 4 septembre 1843, à **Villequier**. Hugo apprend la nouvelle sur le chemin qui le ramenait d'Espagne, où il était en voyage, depuis juillet, avec Juliette Drouet. Son désespoir est immense.

1844-1848 — Hugo cherche un dérivatif dans le monde. Il fréquente le château de Neuilly, résidence de Louis-Philippe, et rêve peut-être d'être le conseiller du roi. Il est créé **pair de France** et voit son titre de vicomte authentifié par le roi (1845).

1848-1849 — Après une belle fidélité à Louis-Philippe, Hugo se rallie à la République; cependant, le 24 février 1848, il avait tenté de faire proclamer la régence de la duchesse d'Orléans; élu à l'Assemblée constituante, il fait de vains efforts en faveur d'un apaisement, lors des journées de Juin. Puis il soutient, dans *l'Événement*, journal qu'il a contribué à fonder, la candidature de Louis-Napoléon Bonaparte, par réaction contre Cavaignac. Après son élection à l'Assemblée législative, ses relations avec Louis-Napoléon Bonaparte s'altèrent, en même temps qu'il se brouille avec la droite.

***

1851 — Son opposition au prince-président, puis sa vaine résistance contre le coup d'Etat du 2-Décembre l'obligent à **fuir à Bruxelles** (11 décembre), en même temps que ses collaborateurs de *l'Événement* sont détenus à la Conciergerie. Juliette Drouet, puis son fils Charles le rejoignent en Belgique.

1852 — Il publie (5 août) son pamphlet *Napoléon-le-Petit*. Il s'installe à Jersey, à Marine Terrace.

1853 — *Les Châtiments,* imprimés à Bruxelles, pénètrent en France clandestinement. V. Hugo compose de *Petites Épopées* (premier titre sous lequel il pense publier la future *Légende des siècles*). Il écrit notamment *la Vision de Dante, Au lion d'Androclès*, travaille à *la Fin de Satan* et jette les bases de *Dieu* (œuvres qui paraîtront après sa mort).

1855 — Expulsé de Jersey, il s'établit à Guernesey, à Hauteville House.

1856 — *Les Contemplations* (avril) sont un succès.

1859 — Malgré un décret d'amnistie, Hugo refuse de rentrer en France. Première série de *la Légende des siècles* (26 septembre).

1861 — Au cours d'un voyage en Belgique, il visite le champ de bataille de Waterloo.

1862 — *Les Misérables.* — Voyage sur le Rhin et retour par Bruxelles.

1863-1864 — *Victor Hugo raconté par un témoin de sa vie*, œuvre de sa femme, paraît peu avant *William Shakespeare*.

1865-1869 — Publication des **Chansons des rues et des bois** (1865) et des **Travailleurs de la mer** (1866). Mort de Mme Hugo à Bruxelles, le 27 août 1868. Hugo publie *L'homme qui rit* (1869).

***

1870 — Inquiet des échecs français, Hugo revient dès le 5 septembre à Paris, où, en simple citoyen, il subit le siège. Sa popularité est immense : après dix-neuf ans d'exil, il apparaît comme le symbole de la fidélité à l'idéal démocratique.

1871 — Élu à l'Assemblée nationale, mais démissionnaire dès le 8 mars, Hugo revient de Bordeaux à Paris pour assister aux obsèques de son fils Charles (mars), alors que commencent les premiers troubles de la Commune. S'il n'approuve pas ce mouvement révolutionnaire, il condamne énergiquement la répression qui suit son échec.

1872-1873 — Son intervention en faveur des communards le rend suspect. Publication de *l'Année terrible* (avril 1872); devant la politique réactionnaire du gouvernement français, V. Hugo repart pour Guernesey, où il séjourne; il y compose le poème *Écrit en exil*. — François-Victor meurt à la fin de 1873.

1874-1876 — Il publie *Quatrevingt-Treize*, s'installe à Paris, rue de Clichy, et est élu sénateur. Aux funérailles d'Edgar Quinet, il prononce un discours qui provoque des réactions hostiles de la part de la presse catholique. — Publication des trois volumes d'*Actes et paroles*.

1877 — Publication de *la Légende des siècles* (2ᵉ série) en février, de *l'Art d'être grand-père* (mai), de l'*Histoire d'un crime* (1ʳᵉ partie) [octobre].

1878-1880 — La santé de l'écrivain s'altère, et il n'écrira plus d'œuvre nouvelle jusqu'à sa mort, se contentant de publier des ouvrages créés antérieurement : *le Pape* (1878), *la Pitié suprême* (1879), *Religions et religion*, et *l'Ane* (1880). Il séjourne à Guernesey pendant l'été et une partie de l'automne.

1881 — Le **27 février**, à l'occasion de son anniversaire, 600 000 personnes défilent devant son domicile, avenue d'Eylau — qui, peu après, devient avenue Victor-Hugo —, et Jules Ferry apporte l'hommage du gouvernement. — Publication des *Quatre Vents de l'esprit*.

1882 — *Torquemada*, grand drame en vers.

1883 — Dernière série de *la Légende des siècles*. Mort de Juliette Drouet (11 mai).

1885 — Victor Hugo **meurt le 22 mai**, d'une crise cardiaque, à **Paris**. Après des funérailles nationales, les cendres du poète sont déposées **dans la crypte du Panthéon** (1ᵉʳ juin).

ŒUVRES POSTHUMES · *la Fin de Satan, le Théâtre en liberté* (1886). *Choses vues* (1887-1900). *Toute la lyre* (1888-1899). *Alpes et Pyrénées* (1890). *Dieu* (1891). *France et Belgique* (1892). *Correspondance* (1896). *Les Années funestes; Amy Robsart; les Jumeaux* (1898). *Lettres à la fiancée; Post-scriptum de ma vie* (1901). *Dernière Gerbe* (1902). *Océan. Tas de pierres* (1942).

V. Hugo avait trente-quatre ans de moins que Chateaubriand, dix-neuf de moins que Stendhal, douze de moins que Lamartine, cinq de moins que Vigny, quatre de moins que Michelet, trois de moins que Balzac. Il avait un an de plus que Mérimée, deux de plus que George Sand et Sainte-Beuve, huit de plus que Musset, neuf de plus que Gautier, seize de plus que Leconte de Lisle.

VICTOR HUGO ET SON TEMPS JUSQU'EN 1843

	la vie et l'œuvre de Victor Hugo	le mouvement intellectuel et artistique	les événements politiques
1802	Naissance de Victor Hugo à Besançon (26 février).	Chateaubriand : Génie du christianisme avec René.	Vote du sénatus-consulte de l'an X. Bonaparte, consul à vie.
1819	Hugo un des fondateurs du Conservateur littéraire; Bug-Jargal (1re version).	Publication des Œuvres d'A. de Chénier. Géricault : le Radeau de la « Méduse ».	Ministère Decazes : mesures libérales. Lois de Serre favorables à la liberté de la presse.
1822	Mariage avec Adèle Foucher. Publication des Odes et Poésies diverses.	Delacroix : la Barque de Dante. Champollion déchiffre les hiéroglyphes. Vigny : Poèmes.	Congrès de Vérone, Chateaubriand étant ministre des Affaires étrangères.
1823	Han d'Islande. Création de la Muse française.	Stendhal : Racine et Shakespeare. Lamartine : Nouvelles Méditations; la Mort de Socrate. Beethoven : Messe en « ré ».	Prise de Trocadero, près de Cadix (août), par les Français. Déclaration de Monroe. Fin de la Charbonnerie.
1824	Nouvelles Odes. Naissance de Léopoldine.	Mort de Byron. Delacroix : Scènes des massacres de Scio.	Fin de la résistance espagnole en Amérique du Sud. Mort de Louis XVIII, à qui succède Charles X.
1826	Bug-Jargal (2e version). Odes et Ballades.	Vigny : Poèmes antiques et modernes.	Sièges de Missolonghi et d'Athènes par les Turcs.
1827	Cromwell et sa Préface.	F. Cooper : la Prairie. Ingres : Apothéose d'Homère. Mort de Beethoven.	Bataille de Navarin.
1829	Les Orientales. Le Dernier Jour d'un condamné. Marion de Lorme.	Vigny : Othello. Balzac : les Chouans. Fondation de la Revue des Deux Mondes.	Démission de Martignac, remplacé par Polignac. Fin de la guerre russo-turque par le traité d'Andrinople.
1830	Hernani (25 février).	Musset : Contes d'Espagne et d'Italie. Th. Gautier : Poésies. Lamartine : Harmonies. Stendhal : le Rouge et le Noir.	Prise d'Alger. Révolution de Juillet. Mouvements révolutionnaires en Europe.
1831	Notre-Dame de Paris. Les Feuilles d'automne.	Balzac : la Peau de chagrin. Delacroix : la Barricade.	Troubles à Lyon. Soulèvements en Italie. Écrasement de la révolution polonaise.

1832	Le roi s'amuse (interdit).	Musset : Un spectacle dans un fauteuil. Vigny : Stello. Silvio Pellico : Mes prisons. Mort de Goethe, W. Scott, Cuvier.	Méhémet-Ali vainqueur à Konieh. Manifestations pour l'unité allemande à Hambach. Encyclique Mirari vos contre le catholicisme libéral.
1833	Lucrèce Borgia. Marie Tudor. Liaison avec Juliette Drouet.	G. Sand : Lélia. Balzac : Eugénie Grandet. Rude : la Marseillaise.	Loi Guizot sur l'enseignement primaire. Création de la Société des droits de l'homme.
1834	Littérature et philosophie mêlées. Claude Gueux.	Sainte-Beuve : Volupté. Balzac : le Père Goriot. La Mennais condamné à Rome après les Paroles d'un croyant. Musset : Lorenzaccio. Mort de Coleridge.	Insurrections d'avril (Lyon et Paris). Quadruple-Alliance (Espagne, Portugal, Grande-Bretagne, France).
1835	Les Chants du crépuscule. Angelo.	Vigny : Chatterton. Musset : les Nuits de mai et de décembre. Conférences de Lacordaire. Gogol : Tarass Boulba.	Attentat de Fieschi (juillet). Lois répressives (septembre), concernant notamment la presse.
1837	Les Voix intérieures.	Musset : Un caprice; la Nuit d'octobre. Dickens : Oliver Twist.	Traité de la Tafna : cession à Abd el-Kader des provinces d'Oran et partie d'Alger. Conquête de Constantine.
1838	Ruy Blas.	Lamartine : la Chute d'un ange. E. A. Poe : Arthur Gordon Pym.	Coalition contre Molé. Mort de Talleyrand.
1840	Les Rayons et les Ombres.	Sainte-Beuve : Port-Royal. G. Sand : le Compagnon du tour de France. P. J. Proudhon : Qu'est-ce que la propriété ?	Retour des cendres de Napoléon Ier. Traité de Londres. Démission de Thiers. Ministère Guizot.
1842	Le Rhin.	Aloysius Bertrand : Gaspard de la Nuit. E. Sue : les Mystères de Paris.	Ministère Guizot (formé depuis 1840). Protectorat français à Tahiti.
1843	Les Burgraves. Mort de Léopoldine.	Nerval se rend en Orient.	Querelle scolaire.

	la vie et l'œuvre de Victor Hugo	le mouvement intellectuel et artistique	les événements politiques
1848	Élection à l'Assemblée constituante.	Dumas fils : la Dame aux camélias (roman). Mort de Chateaubriand. Publication des Mémoires d'outre-tombe.	Révolution de Février. Mouvements libéraux et nationaux en Italie et en Allemagne.
1852	Napoléon-le-Petit. Début de l'exil. Installation à Marine Terrace, à Jersey.	Th. Gautier : Emaux et camées. Leconte de Lisle : Poèmes antiques. Dumas fils : la Dame aux camélias (drame).	Napoléon III, empereur héréditaire. Cavour, en Savoie-Piémont, est appelé au ministère.
1853	Les Châtiments.	Nerval : Petits Châteaux de Bohême. H. Taine : La Fontaine et ses fables.	Haussmann, préfet de la Seine. Début de la guerre russo-turque (guerre de Crimée).
1856	Les Contemplations. Séjour à Hauteville House, à Guernesey; expériences de spiritisme.	Flaubert : Madame Bovary. Lamartine : Cours familier de littérature. Mort de Schumann.	Congrès et traité de Paris. Expédition de Burton et Speke aux grands lacs africains.
1859	La Légende des siècles (1re série). Refus de l'amnistie.	Baudelaire : Salon de 1859. Mistral : Mireille. Darwin : De l'origine des espèces. Wagner : Tristan et Isolde.	Amnistie accordée par Napoléon III aux condamnés politiques. Percement de l'isthme de Suez.
1862	Les Misérables.	Flaubert : Salammbô. Baudelaire : 21 Petits Poèmes en prose. Leconte de Lisle : Poèmes barbares.	Campagne du Mexique. Tentative de Garibaldi contre Rome. Bismarck, Premier ministre.
1864	William Shakespeare.	Vigny : les Destinées (posthumes), Fustel de Coulanges : la Cité antique. Meilhac et Halévy : la Belle Hélène (musique d'Offenbach).	Guerre austro-prussienne contre le Danemark. Fondation de l'Internationale. Création du Comité des forges.
1865	Chansons des rues et des bois.	Cl. Bernard : Introduction à la médecine expérimentale. K. Marx : le Capital. Lois de Mendel.	Abolition de l'esclavage aux Etats-Unis. Union télégraphique internationale.
1866	Les Travailleurs de la mer.	Verlaine : Poèmes saturniens. Parnasse contemporain. Dostoïevski : Crime et châtiment.	L'Autriche est battue, à Sadova, par la Prusse, alliée à l'Italie.
1869	L'homme qui rit.	Verlaine : Fêtes galantes. Flaubert : l'Éducation sentimentale.	Inauguration du canal de Suez. Congrès socialiste de Bâle.

1871	Élu député de Paris après son retour d'exil.	Deuxième Parnasse contemporain.	Soulèvement parisien de la Commune. Traité de Francfort.
1872	L'Année terrible.	Bizet : l'Arlésienne. Daumier : la Monarchie.	Début du Kulturkampf.
1874	Quatrevingt-Treize.	Flaubert : la Tentation de saint Antoine. Exposition des impressionnistes.	Septennat militaire en Allemagne. Les Anglais aux îles Fidji.
1876	Élu sénateur. Actes et paroles.	Mallarmé : l'Après-midi d'un faune. Renoir : le Moulin de la Galette.	Mac-Mahon président (depuis 1873). Stanley au Congo.
1877	La Légende des siècles (2e série). L'Art d'être grand-père. Histoire d'un crime.	Flaubert : Trois Contes. E. Zola : l'Assommoir. R. Wagner : Parsifal.	Crise du 16-Mai : Mac-Mahon renvoie le ministère Jules Simon.
1878	Le Pape.	Mort de Claude Bernard. Engels : l'Anti-Dühring.	Congrès de Berlin sur la question des Balkans.
1880	Religions et religion. L'Âne.	Recueil des Soirées de Médan. Mort de G. Flaubert. Maupassant : Boule-de-Suif. Dostoïewski : les Frères Karamazov.	Premier ministère Jules Ferry. Le 14 juillet devient fête nationale. Loi d'amnistie : retour des anciens communards.
1881	Le 27 février, immense défilé devant son domicile et hommage du gouvernement présenté par Jules Ferry. Les Quatre Vents de l'esprit.	Maupassant : la Maison Tellier. A. France : le Crime de Sylvestre Bonnard. Verlaine : Sagesse. Renoir : le Déjeuner des canotiers.	Loi sur la liberté de la presse. Élections législatives. Ministère Gambetta. Protectorat sur la Tunisie.
1882	Torquemada (drame).	Maupassant : Mademoiselle Fifi. Koch découvre le bacille de la tuberculose.	Loi organisant l'enseignement primaire : sco arisation obligatoire. Constitution de la Triple-Alliance (Allemagne-Autriche-Italie).
1883	Mort de Juliette Drouet. La Légende des siècles (dernière série).	Maupassant : Une vie. Renan : Souvenirs d'enfance et de jeunesse. Nietzsche : Ainsi parla Zarathoustra.	Ministère Jules Ferry. Guerre du Tonkin. Intervention française à Madagascar.
1885	22 mai : mort de Victor Hugo. 1er juin : funérailles nationales.	E. Zola : Germinal. Maupassant : Bel-Ami. A. France : le Livre de mon ami. Pasteur découvre la vaccination antirabique.	Évacuation de Lang Son. Chute de Jules Ferry. Élections générales : recul des républicains.

Phot. Roger Viollet.

Victor Hugo à l'époque où il écrivit *les Misérables,*
photographié par Nadar.

Paris, collection Viollet.

LES MISÉRABLES

II

TROISIÈME PARTIE

MARIUS
(SUITE)

LIVRE CINQUIÈME

EXCELLENCE DU MALHEUR

[« La vie devint sévère pour Marius. Manger ses habits et sa montre, ce n'était rien. Il mangea de cette chose inexprimable qu'on appelle *de la vache enragée.* » Reçu avocat, sa situation, toutefois, s'améliore : il passe de l'indigence à la pauvreté.]

III

MARIUS GRANDI

A cette époque, Marius avait vingt ans. Il y avait trois ans qu'il avait quitté son grand-père. On était resté dans les mêmes termes de part et d'autre, sans tenter de rapprochement et sans chercher à se revoir. D'ailleurs, se revoir, à quoi
5 bon? pour se heurter? Lequel eût eu raison de l'autre? Marius était le vase d'airain, mais le père Gillenormand était le pot de fer.

Disons-le, Marius s'était mépris sur le cœur de son grand-père. Il s'était figuré que M. Gillenormand ne l'avait jamais
10 aimé, et que ce bonhomme bref, dur et riant, qui jurait, criait, tempêtait et levait la canne, n'avait pour lui tout au plus que

cette affection à la fois légère et sévère des gérontes[1] de comédie. Marius se trompait. Il y a des pères qui n'aiment pas leurs enfants ; il n'existe point d'aïeul qui n'adore son petit-fils.
15 Au fond, nous l'avons dit, M. Gillenormand idolâtrait Marius. Il l'idolâtrait à sa façon, avec accompagnement de bourrades et même de gifles ; mais, cet enfant disparu, il se sentit un vide noir dans le cœur ; il exigea qu'on ne lui en parlât plus, en regrettant tout bas d'être si bien obéi. Dans les premiers temps
20 il espéra que ce buonapartiste, ce jacobin, ce terroriste, ce septembriseur[2] reviendrait. Mais les semaines se passèrent, les mois se passèrent, les années se passèrent ; au grand désespoir de M. Gillenormand, le buveur de sang ne reparut pas ! — Je ne pouvais pourtant pas faire autrement que de le chasser, se
25 disait le grand-père, et il se demandait : si c'était à refaire, le referais-je ? Son orgueil sur-le-champ répondait oui, mais sa vieille tête qu'il hochait en silence répondait tristement non. Il avait ses heures d'abattement. Marius lui manquait. Les vieillards ont besoin d'affections comme de soleil. C'est de la
30 chaleur. Quelle que fût sa forte nature, l'absence de Marius avait changé quelque chose en lui. Pour rien au monde, il n'eût voulu faire un pas vers ce « petit drôle » ; mais il souffrait. Il ne s'informait jamais de lui, mais il y pensait toujours. Il vivait, de plus en plus retiré, au Marais. Il était encore, comme
35 autrefois, gai et violent, mais sa gaieté avait une dureté convulsive comme si elle contenait de la douleur et de la colère, et ses violences se terminaient toujours par une sorte d'accablement doux et sombre. Il disait quelquefois : — Oh ! s'il revenait, quel bon soufflet je lui donnerais !
40   Quant à la tante, elle pensait trop peu pour aimer beaucoup ; Marius n'était plus pour elle qu'une espèce de silhouette noire et vague ; et elle avait fini par s'en occuper beaucoup moins que du chat ou du perroquet qu'il est probable qu'elle avait.
    Ce qui accroissait la souffrance secrète du père Gillenor-
45 mand, c'est qu'il la renfermait tout entière et n'en laissait rien deviner. Son chagrin était comme ces fournaises nouvellement inventées qui brûlent leur fumée. Quelquefois, il arrivait que des officieux malencontreux lui parlaient de Marius, et lui demandaient : — Que fait, ou que devient monsieur votre
50 petit-fils ? — Le vieux bourgeois répondait, en soupirant, s'il

---

1. *Géronte* : vieillard ridicule ; **2.** *Septembriseur* : nom donné aux exécutants des massacres de septembre 1792, puis aux anciens jacobins hostiles à Bonaparte.

était trop triste, ou en donnant une chiquenaude à sa man-
chette, s'il voulait paraître gai : — Monsieur le baron Pontmercy plaidaille dans quelque coin. (1)

[Marius mène une existence solitaire. Il ne fréquente guère que
Courfeyrac et M. Mabeuf, qui, lui ayant fait connaître son père, l'a,
dit-il, « opéré de la cataracte ». Ce dernier a, d'ailleurs, résilié sa
charge de marguillier et vit maintenant avec sa servante, la « mère
Plutarque », dans « une espèce de chaumière du village d'Austerlitz »,
où il se livre à son occupation favorite . le jardinage.]

V

PAUVRETÉ BONNE VOISINE DE MISÈRE

Marius avait du goût pour ce vieillard candide qui se voyait
55 lentement saisi par l'indigence, et qui arrivait à s'étonner peu à
peu, sans pourtant s'attrister encore. Marius rencontrait Courfeyrac et cherchait M. Mabeuf. Fort rarement pourtant, une
ou deux fois par mois, tout au plus.

Le plaisir de Marius était de faire de longues promenades
60 seul sur les boulevards extérieurs, ou au Champ de Mars, ou
dans les allées les moins fréquentées du Luxembourg. Il passait quelquefois une demi-journée à regarder le jardin d'un
maraîcher, les carrés de salade, les poules dans le fumier et le
cheval tournant la roue de la noria[3]. Les passants le considé-

---

3. *Noria* : dispositif d'élévation de l'eau.

─────── **QUESTIONS** ───────────────────────────────

1. Les sympathies de Hugo vous semblent-elles le porter plutôt vers le jeune
homme ou plutôt vers le vieillard? Sur quoi fondez-vous votre opinion? Dans
quelle mesure les images du *vase d'airain* et du *pot de fer* peuvent-elles orienter
votre jugement? Sur quelle double opposition reposent-elles? Comment faut-il,
selon vous, les interpréter? — L'auteur rend-il justice au vieux Gillenormand?
Sur quels arguments s'appuie-t-il? Le précepte général qu'il énonce à ce propos
vous paraît-il convaincant? Quelle valeur accordez-vous à l'explication psycho-
logique au moyen de laquelle il l'étaie? — En quoi consiste le drame intérieur du
grand-père? Pourquoi celui-ci souffre-t-il de la rupture avec son petit-fils?
Qu'est-ce qui l'empêche d'y mettre un terme? Sur quel ton pensez-vous qu'il
déclare *Oh! s'il revenait, quel bon soufflet je lui donnerais!* ou *Monsieur le
baron Pontmercy plaidaille dans quelque coin?* Justifiez votre interprétation.
Utilisez-la pour appuyer votre opinion sur M. Gillenormand. — Quelle idée
vous faites-vous de la tante de Marius d'après son comportement? L'impression
sur laquelle elle vous laisse ici confirme-t-elle ou non celle que vous aviez,
jusqu'à présent, gardée à son sujet?

65 raient avec surprise, et quelques-uns lui trouvaient une mise suspecte et une mine sinistre. Ce n'était qu'un jeune homme pauvre rêvant sans objet.

C'est dans une de ses promenades qu'il avait découvert la masure Gorbeau, et l'isolement et le bon marché le tentant, il 70 s'y était logé. On ne l'y connaissait que sous le nom de monsieur Marius.

Quelques-uns des anciens généraux ou des anciens camarades de son père l'avaient invité, quand ils le connurent, à les venir voir. Marius n'avait point refusé. C'étaient des occasions 75 de parler de son père. Il allait ainsi de temps en temps chez le comte Pajol[4], chez le général Bellavesne, chez le général Fririon, aux Invalides[5]. On y faisait de la musique, on y dansait. Ces soirs-là Marius mettait son habit neuf. Mais il n'allait jamais à ces soirées ni à ces bals que les jours où il gelait à 80 pierre fendre, car il ne pouvait payer une voiture et il ne voulait arriver qu'avec des bottes comme des miroirs.

Il disait quelquefois, mais sans amertume : — Les hommes sont ainsi faits que, dans un salon, vous pouvez être crotté partout, excepté sur les souliers. On ne vous demande là, pour 85 vous bien accueillir, qu'une chose irréprochable, la conscience? non, les bottes. (2)

Toutes les passions, autres que celles du cœur, se dissipent dans la rêverie. Les fièvres politiques de Marius s'y étaient évanouies. La révolution de 1830, en le satisfaisant, et en le 90 calmant, y avait aidé. Il était resté le même, aux colères près. Il avait toujours les mêmes opinions. Seulement elles s'étaient attendries. A proprement parler, il n'avait plus d'opinions, il avait des sympathies. De quel parti était-il? du parti de l'humanité. Dans l'humanité il choisissait la France; dans la 95 nation il choisissait le peuple; dans le peuple, il choisissait la

---

4. Très hostile aux Bourbons, le général *Pajol* (1772-1884) prit une part active à la révolution de 1830. Sculpteur de talent, il a laissé une statue de Napoléon (pont de Montereau); 5. Anachronismes : le *général Bellavesne* est mort depuis 1826, et le *général Fririon* ne sera nommé gouverneur des Invalides qu'en 1832.

--- **QUESTIONS** ---

2. Quelle idée vous faites-vous de la personnalité de Marius d'après ce passage? A quels détails remarquez-vous son penchant à la rêverie? son goût pour les conversations sérieuses? sa tendance à la fierté? Comment interprétez-vous le fait qu'il soit *sans amertume?* Quel trait de son caractère vous est suggéré par cette observation? Sur quelle opinion Hugo cherche-t-il à laisser le lecteur? N'existe-t-il pas, selon vous, une raison particulière à cela? Laquelle?

femme. C'était là surtout que sa pitié allait. Maintenant il préférait une idée à un fait, un poète à un héros, et il admirait plus encore un livre comme Job[6] qu'un événement comme Marengo. Et puis quand, après une journée de méditation, il
100 s'en revenait le soir par les boulevards et qu'à travers les branches des arbres il apercevait l'espace sans fond, les lueurs sans nom, l'abîme, l'ombre, le mystère, tout ce qui n'est qu'humain lui semblait bien petit.

Il croyait être et il était peut-être en effet arrivé au vrai de la
105 vie et de la philosophie humaine, et il avait fini par ne plus guère regarder que le ciel, seule chose que la vérité puisse voir du fond de son puits.

Cela ne l'empêchait pas de multiplier les plans, les combinaisons, les échafaudages, les projets d'avenir. Dans cet état
110 de rêverie, un œil qui eût regardé au-dedans de Marius, eût été ébloui de la pureté de cette âme. En effet s'il était donné à nos yeux de chair de voir dans la conscience d'autrui, on jugerait bien plus sûrement un homme d'après ce qu'il rêve que d'après ce qu'il pense. Il y a de la volonté dans la pensée, il
115 n'y en a pas dans le rêve. Le rêve, qui est tout spontané, prend et garde, même dans le gigantesque et l'idéal, la figure de notre esprit. Rien ne sort plus directement et plus sincèrement du fond même de notre âme que nos aspirations irréfléchies et démesurées vers les splendeurs de la destinée. Dans ces aspi-
120 rations, bien plus que dans les idées composées, raisonnées et coordonnées, on peut retrouver le vrai caractère de chaque homme. Nos chimères sont ce qui nous ressemble le mieux. Chacun rêve l'inconnu et l'impossible selon sa nature. (3)

Vers le milieu de cette année 1831, la vieille qui servait

---

6. *Job :* l'un des livres sapientiaux de la Bible (vᵉ s. av. J.-C.). La révolte métaphysique s'y trouve condamnée au profit de la soumission de la foi.

--- **QUESTIONS** ---

3. En quoi consiste l'évolution des convictions politiques du jeune homme ? Ont-elles radicalement changé ? Se sont-elles simplement modifiées dans la précision et la nuance ? Comment interprétez-vous la distinction opérée par l'auteur entre les opinions et les sympathies ? — Quelle attitude peut-on, d'après ce passage, supposer à Marius à l'égard de la monarchie de Juillet ? Ne correspond-elle pas, dans une certaine mesure, à celle de Hugo lui-même ? Qu'en concluez-vous ? — Analysez rapidement la conception du rêve qui vous est proposée ici. Vous paraît-elle originale pour l'époque ? La considérez-vous comme spécifiquement hugolienne ? Pourquoi ? Est-elle, selon vous, confirmée ou infirmée par les données de la psychanalyse ? Justifiez et expliquez votre réponse.

125 Marius lui conta qu'on allait mettre à la porte ses voisins, le misérable ménage Jondrette. Marius, qui passait presque toutes ses journées dehors, savait à peine qu'il eût des voisins.

— Pourquoi les renvoie-t-on? dit-il.

— Parce qu'ils ne paient pas leur loyer, ils doivent deux
130 termes.

— Combien est-ce?

— Vingt francs, dit la vieille.

Marius avait trente francs en réserve dans un tiroir.

— Tenez, dit-il à la vieille, voilà vingt-cinq francs. Payez
135 pour ces pauvres gens, donnez-leur cinq francs et ne dites pas que c'est moi. **(4) (5)**

[Marius, sans y prêter d'attention particulière, rencontre fréquemment dans les allées du Luxembourg un vieil homme et une jeune fille que les étudiants désignent par les sobriquets respectifs de « monsieur Leblanc » (en raison de sa tête chenue) et de « mademoiselle Lanoire » (à cause de ses vêtements sombres).]

LIVRE SIXIÈME

LA CONJONCTION DE DEUX ÉTOILES

III

EFFET DE PRINTEMPS

Un jour, l'air était tiède, le Luxembourg était inondé d'ombre et de soleil, le ciel était pur comme si les anges l'eussent lavé le matin, les passereaux poussaient de petits cris dans les

──────────── **QUESTIONS** ────────────

4. Comment, compte tenu du contexte, envisagez-vous le geste de Marius? Quelle interprétation lui donnez-vous? Qu'est-ce qui en souligne la portée? Ne tend-il pas à mettre en relief certaines qualités du jeune homme? Lesquelles? A quoi les reconnaissez-vous? Quelle idée Hugo cherche-t-il, ici encore, à vous donner de son héros?

5. SUR L'ENSEMBLE DU CHAPITRE V. — Essayez de définir la personnalité de Marius telle qu'elle vous apparaît à la fin de ce chapitre. De quelle autre personnalité êtes-vous tenté de la rapprocher? Pourquoi? La comparaison ainsi opérée vous paraît-elle légitime? Pouvez-vous la justifier? En quoi la vie, les goûts et le tempérament de l'auteur dans sa jeunesse étaient-ils ceux qu'il prête ici à son héros? Précisez votre point de vue en l'appuyant de quelques exemples.

profondeurs des marronniers, Marius avait ouvert toute son
5 âme à la nature, il ne pensait à rien, il vivait et il respirait, il
passa près de ce banc, la jeune fille leva les yeux sur lui, leurs
deux regards se rencontrèrent.

Qu'y avait-il cette fois dans le regard de la jeune fille?
Marius n'eût pu le dire. Il n'y avait rien et il y avait tout. Ce
10 fut un étrange éclair.

Elle baissa les yeux, et il continua son chemin.

Ce qu'il venait de voir, ce n'était pas l'œil ingénu et simple
d'un enfant, c'était un gouffre mystérieux qui s'était entrou-
vert, puis brusquement refermé.

15 Il y a un jour où toute jeune fille regarde ainsi. Malheur à
qui se trouve là!

Ce premier regard d'une âme qui ne se connaît pas encore
est comme l'aube dans le ciel. C'est l'éveil de quelque chose
de rayonnant et d'inconnu. Rien ne saurait rendre le charme
20 dangereux de cette lueur inattendue qui éclaire vaguement
tout à coup d'adorables ténèbres et qui se compose de toute
l'innocence du présent et de toute la passion de l'avenir. C'est
une sorte de tendresse indécise qui se révèle au hasard et qui
attend. C'est un piège que l'innocence tend à son insu et où
25 elle prend des cœurs sans le vouloir et sans le savoir. C'est
une vierge qui regarde comme une femme.

Il est rare qu'une rêverie profonde ne naisse pas de ce
regard là où il tombe. Toutes les puretés et toutes les candeurs
se rencontrent dans ce rayon céleste et fatal qui, plus que les
30 œillades les mieux travaillées des coquettes, a le pouvoir
magique de faire subitement éclore au fond d'une âme cette
fleur sombre, pleine de parfums et de poisons, qu'on appelle
l'amour.

Le soir, en rentrant dans son galetas, Marius jeta les yeux
35 sur son vêtement, et s'aperçut pour la première fois qu'il avait
la malpropreté, l'inconvenance et la stupidité inouïe d'aller se
promener au Luxembourg avec ses habits « de tous les jours »,
c'est-à-dire avec un chapeau cassé près de la ganse, de grosses
bottes de roulier, un pantalon noir blanc aux genoux et un
habit noir pâle aux coudes. (6)

──────── ■ **QUESTIONS** ────────

6. L'évocation du Luxembourg ne suggère-t-elle pas une atmosphère particulière? En quoi détermine-t-elle l'état d'âme de Marius? Pourquoi Hugo ne
définit-il pas le premier regard entre les deux jeunes gens avec plus de précision? — Pouvez-vous déterminer la conception que l'auteur se fait de la femme?

IV

COMMENCEMENT D'UNE GRANDE MALADIE

Le lendemain, à l'heure accoutumée, Marius tira de son armoire son habit neuf, son pantalon neuf, son chapeau neuf et ses bottes neuves ; il se revêtit de cette panoplie complète, mit des gants, luxe prodigieux, et s'en alla au Luxembourg.

45 Chemin faisant, il rencontra Courfeyrac, et feignit de ne pas le voir. Courfeyrac en rentrant chez lui dit à ses amis :

— Je viens de rencontrer le chapeau neuf et l'habit neuf de Marius, et Marius dedans. Il allait sans doute passer un examen. Il avait l'air tout bête.

50 Arrivé au Luxembourg, Marius fit le tour du bassin et considéra les cygnes, puis il demeura longtemps en contemplation devant une statue qui avait la tête toute noire de moisissure et à laquelle une hanche manquait. Il y avait près du bassin un bourgeois quadragénaire et ventru qui tenait par la

55 main un petit garçon de cinq ans et lui disait : — Evite les excès. Mon fils, tiens-toi à égale distance du despotisme et de l'anarchie. Marius écouta ce bourgeois. Puis il fit encore une fois le tour du bassin. Enfin il se dirigea vers « son allée », lentement et comme s'il y allait à regret. On eût dit qu'il était à

60 la fois forcé et empêché d'y aller. Il ne se rendait aucun compte de tout cela, et croyait faire comme tous les jours. (7)

En débouchant dans l'allée, il aperçut à l'autre bout « sur leur banc » M. Leblanc et la jeune fille. Il boutonna son habit jusqu'en haut, le tendit sur son torse pour qu'il ne fît pas de

65 plis, examina avec une certaine complaisance les reflets lustrés de son pantalon, et marcha sur le banc. Il y avait de l'attaque dans cette marche et certainement une velléité de conquête. Je dis donc il marcha sur le banc, comme je dirais : Annibal marcha sur Rome.

70 Du reste il n'y avait rien que de machinal dans tous ses mouvements, et il n'avait aucunement interrompu les préoccu-

───────── **QUESTIONS** ─────────

7. Le titre de ce chapitre doit-il être pris tout à fait au sérieux ? L'humour qui y transparaît ne se manifeste-t-il pas également dans les premiers paragraphes de la narration ? Analysez de ce point de vue les principaux éléments du passage. — Comment interprétez-vous le ton plaisant adopté ici par Hugo ? Doit-il être compris comme une moquerie à l'égard de Marius ? Quel sentiment de l'auteur pour son personnage vous semble-t-il, au bout du compte, exprimer ?

pations habituelles de son esprit et de ses travaux. Il pensait
dans ce moment-là que le *Manuel du Baccalauréat* était un
livre stupide et qu'il fallait qu'il eût été rédigé par de rares
75 crétins pour qu'on y analysât comme chefs-d'œuvre de l'esprit
humain trois tragédies de Racine et seulement une comédie de
Molière. Il avait un sifflement aigu dans l'oreille. Tout en
approchant du banc, il tendait les plis de son habit et ses yeux
se fixaient sur la jeune fille. Il lui semblait qu'elle emplissait
80 toute l'extrémité de l'allée d'une vague lueur bleue.

A mesure qu'il approchait, son pas se ralentissait de plus en
plus. Parvenu à une certaine distance du banc, bien avant
d'être à la fin de l'allée, il s'arrêta, et il ne put savoir lui-même
comment il se fit qu'il rebroussa chemin. Il ne se dit même
85 point qu'il n'allait pas jusqu'au bout. Ce fut à peine si la jeune
fille put l'apercevoir de loin et voir le bel air qu'il avait dans
ses habits neufs. Cependant il se tenait très droit, pour avoir
bonne mine dans le cas où quelqu'un qui serait derrière lui le
regarderait.
90 Il atteignit le bout opposé, puis revint, et cette fois il s'approcha un peu plus près du banc. Il parvint même jusqu'à une
distance de trois intervalles d'arbres, mais là il sentit je ne sais
quelle impossibilité d'aller plus loin, et il hésita. Il avait cru
voir le visage de la jeune fille se pencher vers lui. Cependant il
95 fit un effort viril et violent, dompta l'hésitation et continua
d'aller en avant. Quelques secondes après, il passait devant le
banc, droit et ferme, rouge jusqu'aux oreilles, sans oser jeter
un regard à droite ni à gauche, la main dans son habit comme
un homme d'État. Au moment où il passa — sous le canon de
100 la place — il éprouva un affreux battement de cœur. Elle avait
comme la veille sa robe de damas et son chapeau de crêpe. Il
entendit une voix ineffable qui devait être « sa voix ». Elle
causait tranquillement. Elle était bien jolie. Il le sentait, quoi-
qu'il n'essayât pas de la voir. — Elle ne pourrait cependant,
105 pensait-il, s'empêcher d'avoir de l'estime et de la considération
pour moi si elle savait que c'est moi qui suis le véritable auteur
de la dissertation sur Marcos Obregon de la Ronda que monsieur François de Neufchâteau a mise comme étant de lui, en
tête de son édition de *Gil Blas*[7] !

---

7. Souvenir personnel. Très fier d'être reçu par *François de Neufchâteau* (1750-1828),
membre de l'Institut, le jeune Hugo avait rédigé à son intention et lui avait remis la
« dissertation » mentionnée. Il eut bientôt la surprise de la trouver reproduite textuellement
dans la Préface du *Gil Blas de Santillane* de Lesage édité par ledit François de Neufchâteau.

110 Il dépassa le banc, alla jusqu'à l'extrémité de l'allée qui était tout proche, puis revint sur ses pas et passa encore devant la belle fille. Cette fois il était très pâle. Du reste il n'éprouvait rien que de fort désagréable. Il s'éloigna du banc et de la jeune fille, et tout en lui tournant le dos, il se figurait qu'elle le
115 regardait, et cela le faisait trébucher. (8)

Il n'essaya plus de s'approcher du banc, il s'arrêta vers la moitié de l'allée, et là, chose qu'il ne faisait jamais, il s'assit, jetant des regards de côté, et songeant dans les profondeurs les plus indistinctes de son esprit, qu'après tout il était difficile
120 que les personnes dont il admirait le chapeau blanc et la robe noire fussent absolument insensibles à son pantalon lustré et à son habit neuf.

Au bout d'un quart d'heure il se leva, comme s'il allait recommencer à marcher vers ce banc qu'une auréole entou-
125 rait. Cependant il restait debout et immobile. Pour la première fois depuis quinze mois il se dit que ce monsieur qui s'asseyait là tous les jours avec sa fille l'avait sans doute remarqué de son côté et trouvait probablement son assiduité étrange.

Pour la première fois aussi il sentit quelque irrévérence à
130 désigner cet inconnu, même dans le secret de sa pensée, par le sobriquet de M. Leblanc.

Il demeura ainsi quelques minutes la tête baissée et faisant des dessins sur le sable avec une baguette qu'il avait à la main.

Puis il se tourna brusquement du côté opposé au banc, à
135 M. Leblanc et à sa fille, et s'en revint chez lui.

Ce jour-là il oublia d'aller dîner. A huit heures du soir il s'en aperçut, et comme il était trop tard pour descendre rue St-Jacques, tiens! dit-il, et il mangea un morceau de pain.

───── **QUESTIONS** ─────

8. Le parti pris d'humour de l'auteur continue-t-il à se manifester ici? A quels détails le remarquez-vous notamment? Les faits rapportés n'en sont-ils pas moins correctement observés? Ne nous fournissent-ils pas de nouvelles indications psychologiques sur le personnage? Lesquelles? — Sur quelle impression vous laisse le comportement de Marius dans ces quelques paragraphes? Est-elle plutôt favorable ou plutôt défavorable? Quels sentiments prêtez-vous à Hugo à l'égard du jeune homme? Quels éléments fondent votre jugement? — Les opinions littéraires du héros coïncident-elles ou non avec celles de l'écrivain qui les lui prête? Que vous suggère cette remarque? Comment, dans la même optique, interprétez-vous l'épisode relatif à François de Neufchâteau (aidez-vous de la note 7)? Quelle conclusion tirez-vous de ces différentes observations? En quoi confirme-t-elle vos réflexions antérieures?

Il ne se coucha qu'après avoir brossé son habit et l'avoir
140 plié avec soin. (9) (10)

[Le manège de Marius se reproduit désormais quotidiennement. La
jeune fille n'y demeure pas insensible.]

VII

AVENTURES DE LA LETTRE U LIVRÉE AUX CONJECTURES

L'isolement, le détachement de tout, la fierté, l'indépendance, le goût de la nature, l'absence d'activité quotidienne et
matérielle, la vie en soi, les luttes secrètes de la chasteté,
l'extase bienveillante devant toute la création, avaient préparé
145 Marius à cette possession qu'on nomme la passion. Son culte
pour son père était devenu peu à peu une religion, et comme
toute religion, s'était retiré au fond de l'âme. Il fallait quelque
chose sur le premier plan. L'amour vint.

Tout un grand mois s'écoula, pendant lequel Marius alla
150 tous les jours au Luxembourg. L'heure venue, rien ne pouvait
le retenir. — Il est de service, disait Courfeyrac. Marius vivait
dans les ravissements. Il est certain que la jeune fille le regardait.

Il avait fini par s'enhardir et il s'approchait du banc. Cepen-
155 dant il ne passait plus devant, obéissant à la fois à l'instinct de
timidité et à l'instinct de prudence des amoureux. Il jugeait
utile de ne point attirer « l'attention du père ». Il combinait ses

───────── **QUESTIONS** ─────────

9. Comment jugez-vous les réflexions de Marius dans ce passage? Quelle
interprétation en proposez-vous? Que vous semblent-elles manifester de sa
part? Certains autres détails ne trahissent-ils pas également son trouble? Lesquels? A quoi reconnaissez-vous, par exemple, son indécision? sa timidité? sa
gêne à l'égard de la jeune fille et de son père? — Le style vous paraît-il en
accord avec les sentiments du jeune homme? Quelle nuance exprime-t-il notamment? Justifiez votre point de vue au moyen de quelques exemples précis.

10. SUR L'ENSEMBLE DU CHAPITRE IV. — Quelle vous semble être la forme
d'esprit dominante de ce passage? Ne suppose-t-elle pas certains rapports particuliers entre l'auteur et le personnage qu'il met en scène? Comment vous les
représentez-vous? Sont-ils, à votre avis, bienveillants ou malveillants? Quelle
interprétation d'ensemble en proposez-vous?

— En quoi ce chapitre représente-t-il un tournant dans la destinée de Marius?
Montrez que tous les événements ultérieurs dépendront, d'une manière ou d'une
autre, de ceux qui sont relatés ici.

stations derrière les arbres et les piédestaux des statues avec
un machiavélisme profond, de façon à se faire voir le plus
160 possible à la jeune fille et à se laisser voir le moins possible du
vieux monsieur. Quelquefois, pendant des demi-heures
entières, il restait immobile à l'ombre d'un Léonidas[8] ou d'un
Spartacus[9] quelconque, tenant à la main un livre au-dessus
duquel ses yeux, doucement levés, allaient chercher la belle
165 fille, et elle, de son côté, détournait avec un vague sourire son
charmant profil vers lui. Tout en causant le plus naturellement
et le plus tranquillement du monde avec l'homme à cheveux
blancs, elle appuyait sur Marius toutes les rêveries d'un œil
virginal et passionné. Antique et immémorial manège qu'Eve
170 savait dès le premier jour du monde et que toute femme sait
dès le premier jour de la vie! Sa bouche donnait la réplique à
l'un et son regard donnait la réplique à l'autre. (11)

Il faut croire pourtant que M. Leblanc finissait par s'apercevoir de quelque chose, car souvent, lorsque Marius arrivait, il
175 se levait et se mettait à marcher. Il avait quitté leur place
accoutumée et avait adopté, à l'autre extrémité de l'allée, le
banc voisin du Gladiateur, comme pour voir si Marius les y
suivrait. Marius ne comprit point et fit cette faute. « Le père »
commença à devenir inexact, et n'amena plus « sa fille » tous
180 les jours. Quelquefois il venait seul. Alors Marius ne restait
pas. Autre faute.

Marius ne prenait point garde à ces symptômes. De la phase
de timidité il avait passé, progrès naturel et fatal, à la phase
d'aveuglement. Son amour croissait. Il en rêvait toutes les
185 nuits. Et puis il lui était arrivé un bonheur inespéré, huile sur
le feu, redoublement de ténèbres sur ses yeux. Un soir, à la

---

8. *Léonidas* : roi spartiate demeuré célèbre pour la résistance qu'il opposa à l'armée de
Xerxès au défilé des Thermopyles (480 av. J.-C.); **9.** *Spartacus* : chef des esclaves révoltés
contre Rome en 73 av. J.-C.

——— **QUESTIONS** ———

11. Comment l'auteur explique-t-il la naissance de l'amour chez son personnage? De quoi fait-il dépendre le développement de cette passion? Son point de
vue vous paraît-il psychologiquement recevable? N'en peut-il pas moins trahir
un certain pessimisme? Justifiez votre impression. — Quel est, de l'attachement
à son père ou de son attirance pour la jeune fille, le sentiment qui domine en
Marius? A quoi le remarquez-vous? Qu'en concluez-vous? — Caractérisez le
style de cette page. Vous semble-t-il, dans l'ensemble, objectif? Le narrateur
n'en laisse-t-il pas moins percer, de-ci de-là, un certain amusement? Où l'observez-vous particulièrement? Quelle interprétation en proposez-vous?

Jean Valjean et Cosette.

Illustration de Gustave Brion pour *les Misérables*.

brune, il avait trouvé sur le banc que « M. Leblanc et sa fille »
venaient de quitter, un mouchoir, un mouchoir tout simple et
sans broderie, mais blanc, fin, et qui lui parut exhaler des
190 senteurs ineffables. Il s'en empara avec transport. Ce mouchoir était marqué des lettres U. F.; Marius ne savait rien de
cette belle enfant, ni sa famille, ni son nom, ni sa demeure ; ces
deux lettres étaient la première chose d'elle qu'il saisissait,
adorables initiales sur lesquelles il commença tout de suite à
195 construire son échafaudage. U était évidemment le prénom.
Ursule! pensa-t-il, quel délicieux nom! Il baisa le mouchoir,
l'aspira, le mit sur son cœur, sur sa chair, pendant le jour, et la
nuit sous ses lèvres pour s'endormir.

— J'y sens toute son âme! s'écriait-il.

200 Ce mouchoir était au vieux monsieur qui l'avait tout bonnement laissé tomber de sa poche.

Les jours qui suivirent la trouvaille, il ne se montra plus au
Luxembourg que baisant le mouchoir et l'appuyant sur son
cœur. La belle enfant n'y comprenait rien et le lui marquait par
205 des signes imperceptibles.

— O pudeur! disait Marius. **(12)** **(13)**

LIVRE SEPTIÈME

PATRON-MINETTE

I

LES MINES ET LES MINEURS

Les sociétés humaines ont toutes ce qu'on appelle dans les
théâtres *un troisième dessous*[10]. Le sol social est partout miné,
tantôt pour le bien, tantôt pour le mal. Ces travaux se super-
posent. Il y a les mines[11] supérieures et les mines inférieures.

---

10. *Dessous* désigne dans le vocabulaire théâtral chacun des étages qui se trouvent sous la
scène ; **11.** *Mine :* galerie souterraine pratiquée sous les fortifications ennemies pour les faire
sauter au moyen d'explosifs.

——— **QUESTIONS** ———————————————————————
Questions 12 et 13, v. p. 25.

5 Il y a un haut et bas dans cet obscur sous-sol qui s'effondre parfois sous la civilisation, et que notre indifférence et notre insouciance foulent aux pieds. L'Encyclopédie, au siècle dernier, était une mine presque à ciel ouvert. Les ténèbres, ces sombres couveuses du christianisme primitif, n'attendaient
10 qu'une occasion pour faire explosion sous les Césars et pour inonder le genre humain de lumière. Car dans les ténèbres sacrées il y a de la lumière latente. Les volcans sont pleins d'une ombre capable de flamboiement. Toute lave commence par être nuit. Les catacombes, où s'est dite la première messe,
15 n'étaient pas seulement la cave de Rome, elles étaient le souterrain du monde.

Il y a sous la construction sociale, cette merveille compliquée d'une masure, des excavations de toutes sortes. Il y a la mine religieuse, la mine philosophique, la mine politique, la
20 mine économique, la mine révolutionnaire. Tel pioche avec l'idée, tel pioche avec le chiffre, tel pioche avec la colère. On s'appelle et on se répond d'une catacombe à l'autre. Les utopies cheminent sous terre dans les conduits. Elles s'y ramifient en tous sens. Elles s'y rencontrent parfois, et y fraterni-
25 sent. Jean-Jacques[12] prête son pic à Diogène[13] qui lui prête sa lanterne. Quelquefois elles s'y combattent. Calvin[14] prend

---

12. Rousseau ; 13. *Diogène* : philosophe grec de l'école cynique. Dénonciateur des conventions et défenseur de la nature, il fut célèbre pour son dédain des biens matériels et son mépris de l'humanité ; 14. *Calvin* : ardent propagateur des thèses de la Réforme (1509-1564). Il exposa sa doctrine en 1536 dans *l'Institution chrétienne* et, établi à Genève, il y fonda en 1541 une Eglise nouvelle.

--------- **QUESTIONS** ---------

12. De quelle manière les erreurs tactiques de Marius nous sont-elles rapportées? Comment nous est-il rendu compte de son attitude après la découverte du mouchoir? Quelle figure le héros fait-il à vos yeux après la réflexion qui clôt le chapitre? Essayez, à partir de ces différentes observations, de définir le ton général du passage. — Que signifient les initiales U. F.? L'abandon du mouchoir n'est-il pas un piège délibérément tendu au jeune homme?

13. SUR L'ENSEMBLE DU CHAPITRE VII. — Ne retrouvons-nous pas encore dans ce chapitre une certaine tendance à l'humour de la part du narrateur? Relevez-en quelques manifestations caractéristiques et commentez-les. N'est-il pas plusieurs manières de comprendre cette tendance? Dans quelle mesure traduit-elle une prise de distance de l'auteur à l'égard de son personnage? Ne pourrait-elle également trahir une émotion voilée? Laquelle? Comment l'expliqueriez-vous? — Hugo ne donne-t-il pas ici l'impression d'être omniscient? L'attitude qui en découle envers ses héros vous semble-t-elle une simple commodité romanesque? N'est-il pas une autre façon de l'envisager? Laquelle? Interprétez-la.

Socin[15] aux cheveux. Mais rien n'arrête ni n'interrompt la tension de toutes ces énergies vers le but, et la vaste activité simultanée, qui va et vient, monte, descend et remonte dans
30 ces obscurités, et qui transforme lentement le dessus par le dessous et le dehors par le dedans; immense fourmillement inconnu. La société se doute à peine de ce creusement qui lui laisse sa surface et lui change les entrailles. Autant d'étages souterrains, autant de travaux différents, autant d'extractions
35 diverses. Que sort-il de toutes ces fouilles profondes? L'avenir. (14)

Plus on s'enfonce, plus les travailleurs sont mystérieux. Jusqu'à un degré que le philosophe social sait reconnaître, le travail est bon; au-delà de ce degré, il est douteux et mixte;
40 plus bas, il devient terrible. A une certaine profondeur, les excavations ne sont plus pénétrables à l'esprit de civilisation, la limite respirable à l'homme est dépassée; un commencement de monstres est possible.

L'échelle descendante est étrange; et chacun de ces éche-
45 lons correspond à un étage où la philosophie peut prendre pied, et où l'on rencontre un de ces ouvriers, quelquefois divins, quelquefois difformes. Au-dessous de Jean Huss[16], il y a Luther[17]; au-dessous de Luther, il y a Descartes; au-dessous de Descartes, il y a Voltaire; au-dessous de Voltaire, il y a
50 Condorcet[18]; au-dessous de Condorcet, il y a Robespierre; au-dessous de Robespierre, il y a Marat; au-dessous de Marat,

---

15. *Socin* : réformateur italien (1525-1562), connu pour ses opinions antitrinitaires; 16. *Jean Huss* : réformateur tchèque (1369-1415), qui, ayant attaqué l'Eglise romaine et prêché le retour à l'Eglise primitive, mourut sur le bûcher; 17. *Luther* : théologien allemand (1483-1546), fondateur d'une Eglise nouvelle reposant sur l'autorité exclusive de l'Ecriture. L'essentiel de sa doctrine réside dans cette double formule du *Petit Traité de la liberté chrétienne* (1520) : « Le chrétien est un libre seigneur de toutes choses et n'est soumis à personne. Le chrétien est en toute chose un serviteur et il est soumis à tout le monde »; 18. *Condorcet* : philosophe et mathématicien (1743-1794), collaborateur de l'*Encyclopédie*. Arrêté comme ami des Girondins en 1794, il s'empoisonna dans sa prison.

──────── **QUESTIONS** ────────

14. Quel intérêt offre à vos yeux le caractère général de la présentation qui nous est offerte ici? Quelle dimension tend-il à donner à cette partie de l'histoire? Comment nous invite-t-il déjà à envisager les faits dont la relation suivra? En quoi leur retire-t-il d'avance leur valeur apparemment anecdotique? Quelle portée leur confère-t-il d'emblée? — Sur quelle conception du progrès vous semble déboucher ce passage? Où réside son originalité? Vous paraît-elle conforme à celle que vous rencontrez dans d'autres écrits de l'auteur? Expliquez et justifiez votre point de vue.

il y a Babeuf[19]. Et cela continue. Plus bas, confusément, à la
limite qui sépare l'indistinct de l'invisible, on aperçoit d'autres
hommes sombres, qui peut-être n'existent pas encore. Ceux
55 d'hier sont des spectres ; ceux de demain sont des larves. L'œil
de l'esprit les distingue obscurément. Le travail embryonnaire
de l'avenir est une des visions du philosophe.

Un monde dans les limbes à l'état de fœtus, quelle silhouette
inouïe !

60 Saint-Simon[20], Owen[21], Fourier[22], sont là aussi, dans des
sapes latérales.

Certes, quoique une divine chaîne invisible lie entre eux à
leur insu tous ces pionniers souterrains qui, presque toujours,
se croient isolés, et qui ne le sont pas, leurs travaux sont bien
65 divers, et la lumière des uns contraste avec le flamboiement
des autres. Les uns sont paradisiaques, les autres sont tragiques. Pourtant, quel que soit le contraste, tous ces travailleurs, depuis le plus haut jusqu'au plus nocturne, depuis le
plus sage jusqu'au plus fou, ont une similitude, et la voici : le
70 désintéressement. Marat s'oublie comme Jésus. Ils se laissent
de côté, ils s'omettent, ils ne songent point à eux. Ils voient
autre chose qu'eux-mêmes. Ils ont un regard, et ce regard
cherche l'absolu. Le premier a tout le ciel dans les yeux ; le
dernier, si énigmatique qu'il soit, a encore sous le sourcil la
75 pâle clarté de l'infini. Vénérez, quoi qu'il fasse, quiconque a ce
signe, la prunelle étoile.

La prunelle ombre est l'autre signe.

A elle commence le mal. Devant qui n'a pas de regard,
songez et tremblez. L'ordre social a ses mineurs noirs.

80 Il y a un point où l'approfondissement est de l'ensevelisse-
ment, et où la lumière s'éteint.

Au-dessous de toutes ces mines que nous venons d'indiquer, au-dessous de toutes ces galeries, au-dessous de tout cet
immense système veineux souterrain du progrès et de l'utopie,
85 bien plus avant dans la terre, plus bas que Marat, plus bas que

---

19. *Babeuf* : théoricien révolutionnaire (1760-1797). Il soutint dans son journal, *le Tribun du peuple*, des thèses communistes visant à la fondation d'une « République des Egaux ». Ayant organisé une conspiration contre le Directoire, il fut arrêté et exécuté ; **20.** *Saint-Simon* : économiste français (1760-1825). Certaines de ses thèses, qui ont retenu l'attention de Marx et d'Engels, sont à l'origine de la pensée socialiste ; **21.** *Owen* : réformateur anglais (1771-1858), fondateur d'un système socialiste reposant sur le principe de la communauté du travail et de ses produits ; **22.** *Fourier* : économiste français (1772-1837), théoricien de la vie communautaire fondée sur un système de phalanstères.

Babeuf, plus bas, beaucoup plus bas, et sans relation aucune avec les étages supérieurs, il y a la dernière sape. Lieu formidable. C'est ce que nous avons nommé le troisième dessous. C'est la fosse des ténèbres. C'est la cave des aveugles. 90 *Inferi*[23].

Ceci communique aux abîmes. **(15) (16)**

[« Un quatuor de bandits, Claquesous, Gueulemer, Babet et Montparnasse, gouvernait de 1830 à 1835 le troisième dessous de Paris. » De ces quatre hommes, que l'on désigne par le pseudonyme collectif de « Patron-Minette », Hugo, après les avoir décrits en détail, nous précise : « Ils étaient toujours en situation de prêter un personnel proportionné et convenable à tous les attentats ayant besoin d'un coup d'épaule et suffisamment lucratifs. [...] Ils avaient une troupe d'acteurs de ténèbres à la disposition de toutes les tragédies de cavernes. »]

LIVRE HUITIÈME

LE MAUVAIS PAUVRE

[Marius, que l'aînée des Jondrette est venue solliciter au nom de la famille, observe ses voisins par un trou de la cloison mitoyenne.]

---

23. « Les Enfers ».

--------- **QUESTIONS** ---------

15. De quelle manière comprenez-vous l'idée maintenant développée par Hugo? Manifeste-t-elle un point de vue général ou des prises de position particulières? Qu'y a-t-il de fascinant dans le travail souterrain évoqué ici? Qu'y a-t-il, en même temps, d'inquiétant aux yeux de l'auteur? Partagez-vous sa façon d'envisager les choses? — Comment l'écrivain nous introduit-il progressivement dans sa vision? Quels effets produisent les accumulations de noms propres? les anaphores? les énoncés symétriques?

16. Sur l'ensemble du chapitre premier. — Ne peut-on diviser ce passage en deux parties assez nettement distinctes? Lesquelles? A quels aspects de la pensée de l'auteur correspondent-elles? Comment passe-t-on de l'un à l'autre de ces aspects? Sur quelle idée de l'avenir et du progrès de l'humanité ce développement nous laisse-t-il?

— Hugo vous apparaît-il ici comme un romancier? comme un philosophe? comme un poète? Comment passe-t-il de l'idée au symbole? du symbole à la vision? La démarche que suppose cette évolution vous paraît-elle correctement servir sa pensée? Expliquez en quoi.

— A quoi vise essentiellement le présent chapitre? Vous semble-t-il présenter avec une netteté suffisante la *fosse des ténèbres* dans laquelle l'écrivain va maintenant transporter son lecteur? Où la situez-vous dans l'ordre social? Quelle idée vous en faites-vous d'après ce qui vient de vous en être suggéré?

VII

STRATÉGIE ET TACTIQUE

[Ceux-ci viennent d'apprendre l'arrivée imminente d'un « philanthrope ».]

L'homme se dressa. Il y avait une sorte d'illumination sur son visage.

— Ma femme! cria-t-il, tu entends. Voilà le philanthrope. Eteins le feu.

5 La mère stupéfaite ne bougea pas.

Le père, avec l'agilité d'un saltimbanque, saisit un pot égueulé[24] qui était sur la cheminée et jeta de l'eau sur les tisons.

Puis s'adressant à sa fille aînée :

10 — Toi, dépaille la chaise!

Sa fille ne comprenait point.

Il empoigna la chaise et d'un coup de talon il en fit une chaise dépaillée. Sa jambe passa au travers.

Tout en retirant la jambe, il demanda à sa fille :

15 — Fait-il froid?

— Très froid. Il neige.

Le père se tourna vers la cadette qui était sur le grabat[25] près de la fenêtre et lui cria d'une voix tonnante :

— Vite, à bas du lit, fainéante! tu ne feras donc jamais rien!
20 casse un carreau!

La petite se jeta à bas du lit en frissonnant.

— Casse un carreau! reprit-il.

L'enfant demeura interdite.

— M'entends-tu? répéta le père, je te dis de casser un
25 carreau!

L'enfant avec une sorte d'obéissance terrifiée, se dressa sur la pointe du pied, et donna un coup de poing dans un carreau. La vitre se brisa et tomba à grand bruit.

— Bien, dit le père.

30 Il était grave et brusque. Son regard parcourait rapidement tous les recoins du galetas[26].

On eût dit un général qui fait les derniers préparatifs au moment où la bataille va commencer.

---

24. *Egueulé* : dont le goulot a été brisé ; 25. *Grabat* : mauvais lit ; 26. *Galetas* : logement situé sous les combles et, par extension, logement misérable.

La mère qui n'avait pas encore dit un mot, se souleva et
35 demanda d'une voix lente et sourde et dont les paroles semblaient sortir comme figées :

— Chéri, qu'est-ce que tu veux faire?

— Mets-toi au lit, répondit l'homme.

L'intonation n'admettait pas de délibération. La mère obéit
40 et se jeta lourdement sur un des grabats.

Cependant on entendait un sanglot dans un coin.

— Qu'est-ce que c'est? cria le père.

La fille cadette, sans sortir de l'ombre où elle s'était blottie,
montra son poing ensanglanté. En brisant la vitre elle s'était
45 blessée; elle s'en était allée près du grabat de sa mère, et elle
pleurait silencieusement.

Ce fut le tour de la mère de se dresser et de crier.

— Tu vois bien! les bêtises que tu fais! en cassant ton
carreau, elle s'est coupée!
50 — Tant mieux! dit l'homme, c'était prévu.

— Comment? tant mieux! reprit la femme...

— Paix! répliqua le père, je supprime la liberté de la presse.

Puis déchirant la chemise de femme qu'il avait sur le corps,
il fit un lambeau de toile dont il enveloppa vivement le poignet
55 sanglant de la petite.

Cela fait, son œil s'abaissa sur la chemise déchirée avec
satisfaction :

— Et la chemise aussi, dit-il. Tout cela a bon air.

Une bise glacée sifflait à la vitre et entrait dans la chambre.
60 La brume du dehors y pénétrait et s'y dilatait comme une
ouate blanchâtre vaguement démêlée par des doigts invisibles.
A travers le carreau cassé, on voyait tomber la neige. Le froid
promis la veille par le soleil de la Chandeleur était en effet
venu.
65 Le père promena un coup d'œil autour de lui comme pour
s'assurer qu'il n'avait rien oublié. Il prit une vieille pelle et
répandit de la cendre sur les tisons mouillés de façon à les
cacher complètement.

Puis se relevant et s'adossant à la cheminée :
70 — Maintenant, dit-il, nous pouvons recevoir le philanthrope. **(17)**

————— **QUESTIONS** —————————

Questions 17, v. p. 31.

VIII

LE RAYON DANS LE BOUGE

[Son bienfaiteur se faisant attendre, Jondrette exprime sa haine des riches dans une violente diatribe.]

En ce moment on frappa un léger coup à la porte, l'homme s'y précipita et l'ouvrit en s'écriant avec des salutations profondes et des sourires d'adoration :

75 — Entrez, monsieur! daignez entrer, mon respectable bienfaiteur, ainsi que votre charmante demoiselle.

Un homme d'un âge mûr et une jeune fille parurent sur le seuil du galetas.

Marius n'avait pas quitté sa place. Ce qu'il éprouva en ce
80 moment échappe à la langue humaine.

C'était Elle.

Quiconque a aimé sait tous les sens rayonnants que contiennent les quatre lettres de ce mot : Elle.

C'était bien elle. C'est à peine si Marius la distinguait à
85 travers la vapeur lumineuse qui s'était subitement répandue sur ses yeux. C'était ce doux être absent, cet astre qui lui avait lui pendant six mois, c'était cette prunelle, ce front, cette bouche, ce beau visage évanoui qui avait fait la nuit en s'en allant. La vision s'était éclipsée, elle reparaissait!

90 Elle reparaissait dans cette ombre, dans ce galetas, dans ce bouge difforme, dans cette horreur!

Marius frémissait éperdument. Quoi! c'était elle! les palpitations de son cœur lui troublaient la vue. Il se sentait prêt à

———— QUESTIONS ————

17. Quelle est la caractéristique dominante des différents propos tenus ici par les personnages? Quelle qualité principale reconnaissez-vous à la narration? Comment se manifeste-t-elle? Y rencontre-t-on des détails superflus? de longs paragraphes? Pouvez-vous justifier l'emploi des divers procédés que supposent ces quelques observations? — De quelles qualités essentielles le chef de la famille Jondrette fait-il preuve ici? Comment se manifeste son tempérament d'homme d'action? A quoi reconnaissez-vous son esprit de décision? Quel détail vous révèle ses facultés d'adaptation aux événements inattendus? Les deux adjectifs *grave* et *brusque* qui lui sont appliqués par l'auteur vous semblent-ils rendre pleinement compte de sa personnalité? N'y faudrait-il pas ajouter un certain sens de l'humour? Où et de quelle façon apparaît-il ici? Comment l'interprétez-vous? Quelle idée d'ensemble vous faites-vous du personnage d'après les faits et gestes qui vous en sont rapportés dans cet extrait?

fondre en larmes. Quoi! il la revoyait enfin après l'avoir cher-
95 chée si longtemps! il lui semblait qu'il avait perdu son âme, et
qu'il venait de la retrouver.

Elle était toujours la même, un peu pâle seulement; sa
délicate figure s'encadrait dans un chapeau de velours violet,
sa taille se dérobait sous une pelisse de satin noir. On entre-
100 voyait sous sa longue robe un petit pied serré dans un brode-
quin de soie.

Elle était toujours accompagnée de M. Leblanc.

Elle avait fait quelques pas dans la chambre et avait déposé
un assez gros paquet sur la table.

105 La Jondrette aînée s'était retirée derrière la porte et regardait d'un œil sombre ce chapeau de velours, cette mante de
soie et ce charmant visage heureux. **(18)**

[M. Leblanc promet à Jondrette de lui apporter dans la soirée
l'argent nécessaire au paiement de son loyer. Celui-ci, qui semble
avoir quelque intelligence de l'identité de son visiteur, décide de lui
préparer un guet-apens. Il a, pour ce faire, recours à Patron-Minette.
Marius, de son côté, alerte la police. Javert, auquel il a affaire, décide
de préparer une souricière : le jeune homme tirera un coup de pistolet
pour l'avertir, lorsque les bandits seront rassemblés dans la masure
Gorbeau. Le soir venu, M. Leblanc, fidèle au rendez-vous, est
accueilli par Jondrette, qui, tout en se lamentant sur son sort, lui
propose l'achat d'un tableau. Puis, brusquement, l'attitude de l'hôte
change du tout au tout.]

XX

LE GUET-APENS

La porte du galetas venait de s'ouvrir brusquement, et laissait voir trois hommes en blouses de toile bleue, masqués de

──────── **QUESTIONS** ────────

18. Quel nouveau trait du caractère de Jondrette voyez-vous se manifester ici?
A quoi le remarquez-vous? — Comment le romancier ménage-t-il son coup de
théâtre? Quels moyens met-il en œuvre? Quelle interprétation proposez-vous de
leur sobriété? — Par quel effet de contraste le personnage de la jeune fille se
trouve-t-il mis en relief? Au moyen de quelle symbolique Hugo le rend-il
sensible? Expliquez à ce sujet le titre du chapitre. Les éléments n'en sont-ils pas
repris dans le présent extrait? De quelle manière et dans quelle intention? —
Comment se manifeste la brusque émotion de Marius? A quel important détail
de la narration la reconnaissez-vous? Par quelle caractéristique du style est-elle
principalement exprimée?

110 masques de papier noir. Le premier était maigre et avait une longue trique ferrée, le second, qui était une espèce de colosse, portait par le milieu du manche et la cognée en bas, un merlin[27] à assommer les bœufs. Le troisième, homme aux épaules trapues, moins maigre que le premier, moins massif
115 que le second, tenait à plein poing une énorme clef volée à quelque porte de prison.

Il paraît que c'était l'arrivée de ces hommes que Jondrette attendait. Un dialogue rapide s'engagea entre lui et l'homme à la trique, le maigre.

120 — Tout est-il prêt? dit Jondrette.

— Oui, répondit l'homme maigre. [...]

— Bien, dit Jondrette.

M. Leblanc était très pâle. Il considérait tout dans le bouge autour de lui comme un homme qui comprend où il est tombé,
125 et sa tête, tour à tour dirigée vers toutes les têtes qui l'entouraient, se mouvait sur son cou avec une lenteur attentive et étonnée, mais il n'y avait dans son air rien qui ressemblât à la peur. Il s'était fait de la table un retranchement improvisé; et cet homme qui, le moment d'auparavant, n'avait l'air que d'un
130 bon vieux homme, était devenu subitement une sorte d'athlète, et posait son poing robuste sur le dossier de sa chaise avec un geste redoutable et surprenant.

Ce vieillard, si ferme et si brave devant un tel danger, semblait être de ces natures qui sont courageuses comme elles
135 sont bonnes, aisément et simplement. Le père d'une femme qu'on aime n'est jamais un étranger pour nous. Marius se sentit fier de cet inconnu.

Trois des hommes dont Jondrette avait dit : *ce sont des fumistes*[28], avaient pris dans le tas de ferrailles, l'un une
140 grande cisaille, l'autre une pince à faire des pesées, le troisième un marteau, et s'étaient mis en travers de la porte sans prononcer une parole. Le vieux était resté sur le lit, et avait seulement ouvert les yeux. La Jondrette s'était assise à côté de lui.
145 Marius pensa qu'avant quelques secondes le moment d'intervenir serait arrivé, et il éleva sa main droite vers le plafond,

---

27. *Merlin* : marteau utilisé par les bouchers pour l'abattage des bovins ; 28. Au cours de la conversation qui a précédé, un certain nombre d'hommes, avec, sur le visage, « un masque d'encre ou de suie », s'est introduit dans le galetas. Jondrette les a présentés comme des voisins et a expliqué, pour dissiper les soupçons de son visiteur : « C'est barbouillé parce que ça travaille dans le charbon. Ce sont des fumistes » (III, VIII, XIX).

dans la direction du corridor, prêt à lâcher son coup de pistolet. (19)

150 Jondrette, son colloque avec l'homme à la trique terminé, se
tourna de nouveau vers M. Leblanc et répéta sa question en
l'accompagnant de ce rire bas, contenu et terrible qu'il avait :

— Vous ne me reconnaissez donc pas?

M. Leblanc le regarda en face et répondit :

— Non.

155 Alors Jondrette vint jusqu'à la table. Il se pencha par-dessus
la chandelle, croisant les bras, approchant sa mâchoire angu-
leuse et féroce du visage calme de M. Leblanc, et avançant le
plus qu'il pouvait sans que M. Leblanc reculât, et dans cette
posture de bête fauve qui va mordre, il cria :

160 — Je ne m'appelle pas Fabantou, je ne m'appelle pas Jondrette, je me nomme Thénardier! je suis l'aubergiste de Montfermeil! entendez-vous bien! Thénardier! maintenant me
reconnaissez-vous?

Une imperceptible rougeur passa sur le front de
165 M. Leblanc, et il répondit sans que sa voix tremblât, ni s'éle-
vât, avec sa placidité ordinaire :

— Pas davantage.

Marius n'entendit pas cette réponse. Qui l'eût vu en ce
moment dans cet obscurité l'eût vu hagard, stupide et fou-
170 droyé. Au moment où Jondrette avait dit : *Je me nomme
Thénardier,* Marius avait tremblé de tous ses membres et
s'était appuyé au mur comme s'il eût senti le froid d'une lame
d'épée à travers son cœur. Puis son bras droit prêt à lâcher le
coup de signal, s'était abaissé lentement, et au moment où
175 Jondrette avait répété : *Entendez-vous bien, Thénardier?* les
doigts défaillants de Marius avaient manqué laisser tomber le
pistolet. Jondrette, en dévoilant qui il était, n'avait pas ému
M. Leblanc, mais il avait bouleversé Marius. [...]

—————————— **QUESTIONS** ——————————

19. Sur quel caractère de la scène qu'il décrit le romancier cherche-t-il à attirer
particulièrement l'attention? Par quels procédés y parvient-il? En quoi la précision des détails fournis et la sobriété du style employé y contribuent-elles? —
Définissez rapidement l'attitude de M. Leblanc. Quelles qualités manifeste-t-elle
essentiellement? N'y a-t-il pas pourtant dans son comportement quelque chose
d'inattendu, voire de légèrement équivoque? Marius le remarque-t-il? N'y atta-
chera-t-il pas néanmoins une certaine importance par la suite? Dans quelles
circonstances? — Comment l'auteur ménage-t-il l'intérêt de son lecteur? Pourquoi procède-t-il à une minutieuse mise en place des principaux éléments du
drame? A quelle fin se réserve-t-il encore la possibilité d'un dénouement rapide?

Gavroche

Dessin de Victor Hugo, à l'encre de Chine.
Paris, musée Victor-Hugo.

[...] Cependant Thénardier, nous ne le nommerons plus
180 autrement désormais, se promenait de long en large devant la
table dans une sorte d'égarement et de triomphe frénétique.

[...] — Ah! criait-il, je vous retrouve enfin, monsieur le
philanthrope! monsieur le millionnaire râpé! monsieur le don-
neur de poupées! vieux jocrisse[29]! ah! vous ne me reconnais-
185 sez pas! non, ce n'est pas vous qui êtes venu à Montfermeil, à
mon auberge, il y a huit ans, la nuit de Noël 1823! ce n'est pas
vous qui avez emmené de chez moi l'enfant de la Fantine!
l'Alouette! ce n'est pas vous qui aviez un carrick[30] jaune! non!
et un paquet plein de nippes à la main comme ce matin chez
190 moi! dis donc, ma femme! c'est sa manie, à ce qu'il paraît, de
porter dans les maisons des paquets pleins de bas de laine!
vieux charitable, va! Est-ce que vous êtes bonnetier, monsieur
le millionnaire! vous donnez aux pauvres votre fonds de boutique, saint homme! quel funambule! Ah! vous ne me recon-
195 naissez pas? Eh bien? je vous reconnais, moi! je vous ai
reconnu tout de suite dès que vous avez fourré votre mufle ici.
Ah! on va voir enfin que ce n'est pas tout rose d'aller comme
cela dans les maisons des gens, sous prétexte que ce sont des
auberges, avec des habits minables, avec l'air d'un pauvre,
200 qu'on lui aurait donné un sou, tromper les personnes, faire le
généreux, leur prendre leur gagne-pain, et menacer dans le
bois, et qu'on n'en est pas quitte pour rapporter après, quand
les gens sont ruinés, une redingote trop large et deux
méchantes couvertures d'hôpital, vieux gueux, voleur d'en-
205 fants! (20) (21)

---

29. *Jocrisse* : benêt, personne qui se laisse facilement influencer et gouverner par les autres
(de Jocrisse, personnage comique immortalisé au XVIIIᵉ siècle par *le Désespoir de Jocrisse* de
Dorvigny) ; 30. *Carrick* : ample redingote à plusieurs collets.

─────── **QUESTIONS** ───────────────────

20. En quoi s'opposent ici les attitudes respectives de M. Leblanc et de son
interlocuteur? Quel avantage moral le vieillard s'assure-t-il ainsi sur le *mauvais
pauvre*? Que veut, par là, nous suggérer l'auteur? — Thénardier ne perd-il pas
sensiblement son sang-froid? Comment expliquez-vous le fait? La joie sauvage
qu'il éprouve à tenir en son pouvoir le *voleur d'enfants* vous paraît-elle suffisante à en rendre pleinement compte? Pourquoi l'ancien aubergiste manifeste-t-il une telle hargne à l'égard de Jean Valjean? Pour quelle part y faites-
vous entrer le souvenir d'une transaction dont il a conservé l'impression d'avoir
été berné? Quelles seront les conséquences du coup de théâtre que provoque la
révélation de la véritable identité de Jondrette? Dans l'immédiat? à long terme?
Lesquelles, à votre avis, s'avéreront les plus importantes?

Questions 21, v. p. 37.

[Marius, voulant sauver M. Leblanc tout en ménageant Thénardier, use d'un expédient pour faire connaître aux malfaiteurs la présence de la police. Chacun s'apprête à fuir, lorsque survient Javert, qui, impatient, n'a pas attendu le signal.]

XXI

ON DEVRAIT TOUJOURS COMMENCER PAR ARRÊTER LES VICTIMES

[...] Les bandits effarés se jetèrent sur les armes qu'ils avaient abandonnées dans tous les coins au moment de s'évader. En moins d'une seconde, ces sept hommes, épouvantables à voir, se groupèrent dans une posture de défense, l'un avec
210 son merlin, l'autre avec sa clef, l'autre avec son assommoir, les autres avec les cisailles, les pinces et les marteaux, Thénardier son couteau au poing. La Thénardier saisit un énorme pavé qui était dans l'angle de la fenêtre et qui servait à ses filles de tabouret.

215 Javert remit son chapeau sur sa tête, et fit deux pas dans la chambre, les bras croisés, la canne sous le bras, l'épée dans le fourreau.

— Halte-là, dit-il. Vous ne passerez pas par la fenêtre, vous passerez par la porte. C'est moins malsain. Vous êtes sept,
220 nous sommes quinze. Ne nous colletons pas comme des auvergnats. Soyons gentils.

Bigrenaille prit un pistolet qu'il tenait caché sous sa blouse et le mit dans la main de Thénardier en lui disant à l'oreille :

— C'est Javert. Je n'ose pas tirer sur cet homme-là. Oses-
225 tu, toi ?

─────── **QUESTIONS** ───────

21. SUR L'ENSEMBLE DU CHAPITRE XX. — En quoi ce chapitre vous permet-il de compléter l'image que vous vous faisiez des personnages mis en présence? Le caractère de Jean Valjean ne vous paraît-il pas avoir sensiblement évolué? Dans quel sens? Celui de Thénardier ne s'est-il pas, de son côté, confirmé dans certaines de ses dispositions? Lesquelles? A quoi le remarquez-vous notamment? Montrez que, tandis que le forçat s'affirmait dans le bien, l'aubergiste s'enfonçait dans le mal.

— Relevez dans ce passage les différents procédés qui vous semblent avoir été empruntés au roman populaire. Analysez-les, expliquez-en l'utilisation et appréciez-en l'efficacité.

— Quelle importance attribuez-vous aux événements relatés dans cet extrait? En quoi vont-ils orienter de façon déterminante la plupart des épisodes ultérieurs du roman?

— Parbleu! répondit Thénardier.

— Eh bien, tire.

Thénardier prit le pistolet, et ajusta Javert.

Javert, qui était à trois pas, le regarda fixement et se con-
230 tenta de dire :

— Ne tire pas, va! ton coup va rater.

Thénardier pressa la détente. Le coup rata.

— Quand je te le disais! fit Javert.

Bigrenaille jeta son casse-tête aux pieds de Javert.

235 — Tu es l'empereur des diables! je me rends.

— Et vous? demanda Javert aux autres bandits.

Ils répondirent :

— Nous aussi.

Javert repartit avec calme :

240 — C'est ça, c'est bon, je le disais, on est gentil.

— Je ne demande qu'une chose, reprit le Bigrenaille, c'est
qu'on ne me refuse pas du tabac pendant que je serai au
secret.

— Accordé, dit Javert.

245 Et se retournant et appelant derrière lui :

— Entrez maintenant!

Une escouade de sergents de ville l'épée au poing et
d'agents armés de casse-tête et de gourdins se rua à l'appel de
Javert. On garrotta les bandits. Cette foule d'hommes à peine
250 éclairés d'une chandelle, emplissait d'ombre le repaire.

— Les poucettes[31] à tous! cria Javert. (22)

— Approchez donc un peu! cria une voix qui n'était pas
une voix d'homme, mais dont personne n'eût pu dire : C'est
une voix de femme.

255 La Thénardier s'était retranchée dans un des angles de la
fenêtre et c'était elle qui venait de pousser ce rugissement.

---

31. *Poucettes :* sorte d'anneau double servant à attacher ensemble les pouces d'un prisonnier pour le réduire à l'impuissance.

——— **QUESTIONS** ———————————————————

22. Quelle attitude Javert adopte-t-il en face du groupe menaçant des bandits?
A quels détails remarquez-vous particulièrement sa tranquillité d'esprit? Quelle
impression produit-il sur les malfaiteurs? sur Thénardier? Pourquoi ce dernier le
manque-t-il? Hugo nous explique-t-il, d'une manière ou d'une autre, l'ascendant
exercé par l'inspecteur? Quelle stature cherche-t-il ainsi à donner à son personnage? Pour quelle raison? — Comment Thénardier vous apparaît-il ici? En quoi
se distingue-t-il de ses acolytes? Quelle importance attribuez-vous à ce fait?

Les sergents de ville et les agents reculèrent.

Elle avait jeté son châle et gardé son chapeau; son mari,
accroupi derrière elle, disparaissait presque sous le châle
260 tombé, et elle le couvrait de son corps, élevant le pavé des
deux mains au-dessus de sa tête avec le balancement d'une
géante qui va lancer un rocher.

— Gare! cria-t-elle.

Tous se refoulèrent vers le corridor. Un large vide se fit au
265 milieu du galetas.

La Thénardier jeta un regard aux bandits qui s'étaient laissés garrotter et murmura d'un accent guttural et rauque :

— Les lâches!

Javert sourit et s'avança dans l'espace vide que la Thénar-
270 dier couvait de ses deux prunelles.

— N'approche pas! va-t'en, cria-t-elle, ou je t'écroule!

— Quel grenadier! fit Javert; la mère! tu as de la barbe
comme un homme, mais j'ai des griffes comme une femme.

Et il continua d'avancer.

275 La Thénardier, échevelée et terrible, écarta les jambes, se
cambra en arrière et jeta éperdument le pavé à la tête de
Javert. Javert se courba, le pavé passa au-dessus de lui, heurta
la muraille du fond dont il fit tomber un vaste plâtras et revint,
en ricochant d'angle en angle à travers le bouge, heureusement
280 presque vide, mourir sur les talons de Javert.

Au même instant Javert arrivait au couple Thénardier. Une
de ses larges mains s'abattit sur l'épaule de la femme et l'autre
sur la tête du mari.

— Les poucettes! cria-t-il.

285 Les hommes de police rentrèrent en foule et en quelques
secondes l'ordre de Javert fut exécuté.

La Thénardier, brisée, regarda ses mains garrottées et celles
de son mari, se laissa tomber à terre et s'écria en pleurant :

— Mes filles!

290 — Elles sont à l'ombre, dit Javert.

Cependant les agents avaient avisé l'ivrogne endormi derrière la porte et le secouaient. Il s'éveilla en balbutiant :

— Est-ce fini, Jondrette?

— Oui, répondit Javert.

295 Les six bandits garrottés étaient debout; du reste, ils avaient
encore leurs mines de spectres; trois barbouillés de noir, trois
masqués.

— Gardez vos masques, dit Javert.

Et, les passant en revue avec le regard d'un Frédéric II à la
300 parade de Potsdam[32], il dit aux trois « fumistes » :

— Bonjour, Bigrenaille. Bonjour, Brujon. Bonjour, Deux-
Milliards.

Puis, se tournant vers les trois masques, il dit à l'homme au
merlin :

305 — Bonjour, Gueulemer.

Et à l'homme à la trique :

— Bonjour, Babet.

Et au ventriloque :

— Salut, Claquesous. **(23)**

310 En ce moment, il aperçut le prisonnier des bandits qui,
depuis l'entrée des agents de police, n'avait pas prononcé une
parole et tenait sa tête baissée.

— Déliez monsieur! dit Javert, et que personne ne sorte!

Cela dit, il s'assit souverainement devant la table, où étaient
315 restés la chandelle et l'écritoire, tira un papier timbré de sa
poche et commença son procès-verbal.

Quand il eut écrit les premières lignes, qui ne sont que des
formules toujours les mêmes, il leva les yeux :

— Faites approcher ce monsieur que ces messieurs avaient
320 attaché.

Les agents regardèrent autour d'eux.

— Eh bien, demanda Javert, où est-il donc?

Le prisonnier des bandits, M. Leblanc, M. Urbain Fabre, le
père d'Ursule ou de l'Alouette, avait disparu.

325 La porte était gardée, mais la croisée ne l'était pas. Sitôt
qu'il s'était vu délié, et pendant que Javert verbalisait, il avait
profité du trouble, du tumulte, de l'encombrement, de l'obscu-

---

32. La ville de *Potsdam* (à 20 km de Berlin), que l'on appelle parfois le « Versailles
prussien », fut le séjour d'élection du roi philosophe Frédéric II (1740-1786), qui y mourut.

─────────── **QUESTIONS** ───────────

23. Sous quel jour la Thénardier se présente-t-elle à nos yeux? Quelle attitude
adopte-t-elle à l'égard de son mari? des malfaiteurs? de l'inspecteur? de ses
filles? Certains traits de son caractère, déjà signalés au lecteur, ne se manifes-
tent-ils pas à travers son comportement présent? Rappelez-les rapidement.
D'autres, nouveaux pour nous, ne s'y font-ils pas connaître? Lesquels? Quelle
idée d'ensemble vous faites-vous maintenant du personnage? — Pourquoi l'auteur fait-il, sans coup férir, reconnaître les bandits par le policier? Dans quelle
mesure la perspicacité de ce dernier explique-t-elle la formule *empereur des
diables* qui lui a été, peu avant, appliquée par Bigrenaille?

rité, et d'un moment où l'attention n'était pas fixée sur lui, pour s'élancer par la fenêtre.

330   Un agent courut à la lucarne, et regarda. On ne voyait personne dehors.

L'échelle de corde tremblait encore.

— Diable! fit Javert entre ses dents, ce devait être le meilleur! **(24) (25)**

─────── **QUESTIONS** ───────

24. La fuite de la victime ne s'explique-t-elle pas très simplement? N'est-elle pas, en outre, indispensable aux développements ultérieurs de l'action? Pourquoi? Quelle double conséquence aura-t-elle notamment quant au destin de Marius?

25. Sur l'ensemble du chapitre XXI. — Quel intérêt présente ce dénouement du guet-apens? Quel relief confère-t-il à la réapparition de Javert dans le cours de l'histoire? En quoi donne-t-il au personnage de Thénardier toute sa dimension de chef de bande, voire déjà de génie du mal? N'annonce-t-il pas, avec la fuite de M. Leblanc, le début d'une nouvelle étape dans la destinée de Jean Valjean? Dans quelle mesure prépare-t-il les souffrances et les doutes à venir de Marius?

— Sur quels procédés reposent les principaux effets ménagés par l'auteur dans la narration de ce passage? Que serait-on tenté de leur reprocher? Ne les admet-on pas malgré tout, assez aisément? Pourquoi? En quoi consiste l'adresse de Hugo dans son utilisation des formules du roman populaire?

QUATRIÈME PARTIE

L'IDYLLE RUE PLUMET ET L'ÉPOPÉE RUE ST-DENIS

[La révolution de 1830 a été détournée au profit de la bourgeoisie, qui a porté Louis-Philippe au pouvoir. La monarchie de Juillet se heurte donc aussitôt à l'hostilité populaire. L'agitation est grande en 1832 ; Enjolras et ses lieutenants se préparent à un affrontement.]

LIVRE PREMIER

QUELQUES PAGES D'HISTOIRE

[Marius, qui loge maintenant chez Courfeyrac, rencontre Eponine Thénardier, que la police, faute de rien pouvoir retenir contre elle, a relâchée. Celle-ci lui indique le domicile de Cosette, mais refuse l'argent que le jeune homme lui offre pour prix de ce service.]

LIVRE DEUXIÈME

ÉPONINE

[Ce livre est entièrement consacré à Eponine, fille aînée des Thénardier, qui sert de lien entre les différents personnages.]

LIVRE TROISIÈME

LA MAISON DE LA RUE PLUMET

I

LA MAISON À SECRET

Vers le milieu du siècle dernier, un président à mortier[33] au parlement de Paris ayant une maîtresse et s'en cachant, car à

---

33. *Mortier :* bonnet de certains magistrats. Les présidents à mortier portaient un mortier de velours noir cerclé d'un galon d'or.

cette époque les grands seigneurs montraient leurs maîtresses
et les bourgeois les cachaient, fit construire « une petite maison » faubourg Saint-Germain, dans la rue déserte de Blomet
qu'on nomme aujourd'hui rue Plumet, non loin de l'endroit
qu'on appelait alors le *Combat des Animaux.*

Cette maison se composait d'un pavillon à un seul étage ;
deux salles au rez-de-chaussée, deux chambres au premier, en
bas une cuisine, en haut un boudoir, sous le toit un grenier, le
tout précédé d'un jardin avec large grille donnant sur la rue.
Ce jardin avait environ un arpent. C'était là tout ce que les
passants pouvaient entrevoir ; mais en arrière du pavillon il y
avait une cour étroite et au fond de la cour un logis bas de
deux pièces sur cave, espèce d'en-cas destiné à dissimuler au
besoin un enfant et une nourrice. Ce logis communiquait, par-
derrière, par une porte masquée et ouvrant à secret, avec un
long couloir étroit, pavé, sinueux, à ciel ouvert, bordé de deux
hautes murailles, lequel, caché avec un art prodigieux et
comme perdu entre les clôtures des jardins et des cultures
dont il suivait tous les angles et tous les détours, allait aboutir
à une autre porte également à secret qui s'ouvrait à un demi-
quart de lieue de là, presque dans un autre quartier, à l'extrémité solitaire de la rue de Babylone.

Monsieur le président s'introduisait par là, si bien que
ceux-là mêmes qui l'eussent épié et suivi et qui eussent
observé que M. le président se rendait tous les jours mysté-
rieusement quelque part, n'eussent pu se douter qu'aller rue de
Babylone c'était aller rue Blomet. Grâce à d'habiles achats de
terrains, l'ingénieux magistrat avait pu faire faire ce travail de
voirie secrète chez lui, sur sa propre terre, et par conséquent
sans contrôle. Plus tard il avait revendu par petites parcelles
pour jardins et cultures les lots de terre riverains du corridor,
et les propriétaires de ces lots de terre croyaient des deux
côtés avoir devant les yeux un mur mitoyen, et ne soupçon-
naient pas même l'existence de ce long ruban de pavé serpen-
tant entre deux murailles parmi leurs plates-bandes et leurs
vergers. Les oiseaux seuls voyaient cette curiosité. Il est probable que les fauvettes et les mésanges du siècle dernier
avaient fort jasé sur le compte de M. le président.

Le pavillon, bâti en pierre dans le goût Mansard[34], lam-

----

34. *Mansart :* l'un des fondateurs de l'architecture classique française (1598-1666). Il a
donné son nom à la mansarde, dont on lui attribue, à tort, l'invention.

brissé, et meublé dans le goût Watteau[35], rocaille[36] au-dedans,
perruque au-dehors, muré d'une triple haie de fleurs, avait
quelque chose de discret, de coquet et de solennel comme il
45 sied à un caprice de l'amour et de la magistrature.

Cette maison et ce couloir, qui ont disparu aujourd'hui,
existaient encore il y a une quinzaine d'années. En 93, un
chaudronnier avait acheté la maison pour la démolir, mais
n'ayant pu en payer le prix, la nation le mit en faillite. De sorte
50 que ce fut la maison qui démolit le chaudronnier. Depuis la
maison resta inhabitée, et tomba lentement en ruine, comme
toute demeure à laquelle la présence de l'homme ne communique plus la vie. Elle était restée meublée de ses vieux meu-
bles et toujours à vendre ou à louer, et les dix ou douze
55 personnes qui passent par an rue Plumet en étaient averties
par un écriteau jaune et illisible accroché à la grille du jardin
depuis 1810. (26)

Vers la fin de la restauration, ces mêmes passants purent
remarquer que l'écriteau avait disparu, et que, même, les
60 volets du premier étage étaient ouverts. La maison en effet
était occupée. Les fenêtres avaient « des petits rideaux »,
signe qu'il y avait une femme.

Au mois d'octobre 1820, un homme d'un certain âge s'était
présenté et avait loué la maison telle qu'elle était, y compris,
65 bien entendu, l'arrière-corps de logis et le couloir qui allait
aboutir à la rue de Babylone. Il avait fait rétablir les ouver-
tures à secret des deux portes de ce passage. La maison, nous
venons de le dire, était encore à peu près meublée des vieux
ameublements du président, le nouveau locataire avait
70 ordonné quelques réparations, ajouté çà et là ce qui manquait,
remis des pavés à la cour, des briques aux carrelages, des

---

35. *Watteau* : l'un des plus importants peintres du xviiie siècle français (1684-1721). Les
personnages de la comédie italienne lui ont fourni l'une de ses sources d'inspiration principales ; 36. *Rocaille* : mobilier dont les motifs ornementaux consistent en des imitations de
grottes, de rochers ou de coquillages.

──────────── **QUESTIONS** ────────────

26. Pourquoi Hugo éprouve-t-il le besoin de faire aussi longuement l'historique de cette *maison à secret* ? Quels aménagements particuliers com-
porte-t-elle ? Quels avantages ceux-ci présentent-ils ? Qui en profitera dans la
suite de l'histoire ? Le fait ne méritait-il pas une justification ? Pour quelle raison ?
— Comment l'écrivain rattache-t-il, ici encore, sa fiction à la réalité ? Quel souci
manifeste-t-il de la sorte ? De quelle façon l'expliquez-vous ? Dans quelle mesure
la vérité (ou l'apparence de vérité) dans les détails compense-t-elle l'invraisem-
blance de certains événements imaginés ?

marches à l'escalier, des feuilles aux parquets et des vitres aux
croisées, et enfin était venu s'installer avec une jeune fille et
une servante âgée, sans bruit, plutôt comme quelqu'un qui se
75 glisse que comme quelqu'un qui entre chez soi. Les voisins
n'en jasèrent point, par la raison qu'il n'y avait pas de voisins.

Ce locataire peu à effet était Jean Valjean, la jeune fille était
Cosette. La servante était une fille appelée Toussaint que Jean
Valjean avait sauvée de l'hôpital et de la misère et qui était
80 vieille, provinciale et bègue, trois qualités qui avaient déter-
miné Jean Valjean à la prendre avec lui. Il avait loué la maison
sous le nom de M. Fauchelevent, rentier. Dans tout ce qui a
été raconté plus haut, le lecteur a sans doute moins tardé
encore que Thénardier à reconnaître Jean Valjean. (**27**)

85 Pourquoi Jean Valjean avait-il quitté le couvent du Petit-
Picpus? Que s'était-il passé?

Il ne s'était rien passé.

On s'en souvient, Jean Valjean était heureux dans le couvent, si heureux que sa conscience finit par s'inquiéter. Il
90 voyait Cosette tous les jours, il sentait la paternité naître et se
développer en lui de plus en plus, il couvait de l'âme cette
enfant, il se disait qu'elle était à lui, que rien ne pouvait la lui
enlever, que cela serait ainsi indéfiniment, que certainement
elle se ferait religieuse, y étant chaque jour doucement provo-
95 quée, qu'ainsi le couvent était désormais l'univers pour elle
comme pour lui, qu'il y vieillirait et qu'elle y grandirait, qu'elle
y vieillirait et qu'il y mourrait ; qu'enfin, ravissante espérance,
aucune séparation n'était possible. En réfléchissant à ceci, il
en vint à tomber dans des perplexités. Il s'interrogea. Il se
100 demandait si tout ce bonheur-là était bien à lui, s'il ne se
composait pas du bonheur d'un autre, du bonheur de cette
enfant, qu'il confisquait et qu'il dérobait, lui vieillard ; si ce
n'était point là un vol? Il se disait que cette enfant avait le
droit de connaître la vie avant d'y renoncer, que lui retrancher,

─────── **QUESTIONS** ───────

27. La date d'installation de Jean Valjean et de sa protégée dans la maison de
la rue Plumet est-elle indifférente? Pourquoi l'écrivain a-t-il choisi cette époque
de la *fin de la Restauration?* De quel point de vue nous présente-t-il d'abord
l'arrivée des nouveaux locataires? Ne lui arrive-t-il pas de nous donner trop de
renseignements? Quels sont, parmi les détails fournis, ceux qui n'ont pu être
observés par d'éventuels passants? — Pour quelle raison Hugo abandonne-t-il
très rapidement le ton mystérieux d'abord adopté pour nous rapporter cette
nouvelle série d'événements? Ses personnages n'étaient-ils pas devenus trop
facilement identifiables pour qu'il puisse s'y tenir plus longtemps?

105 d'avance et en quelque sorte sans la consulter, toutes les joies
sous prétexte de lui sauver toutes les épreuves, profiter de son
ignorance et de son isolement pour lui faire germer une voca-
tion artificielle, c'était dénaturer une créature humaine et mentir à Dieu. Et qui sait si, se rendant compte un jour de tout
110 cela et religieuse à regret, Cosette n'en viendrait pas à le haïr?
Dernière pensée, presque égoïste et moins héroïque que les
autres, mais qui lui était insupportable. Il résolut de quitter le
couvent.

Il le résolut; il reconnut avec désolation qu'il le fallait.
115 Quant aux objections, il n'y en avait pas. Cinq ans de séjour
entre ces quatre murs et de disparition, avaient nécessairement détruit ou dispersé les éléments de crainte. Il pouvait
rentrer parmi les hommes tranquillement. Il avait vieilli, et
tout avait changé. Qui le reconnaîtrait maintenant? Et puis, à
120 voir le pire, il n'y avait de danger que pour lui-même, et il
n'avait pas le droit de condamner Cosette au cloître par la
raison qu'il avait été condamné au bagne. D'ailleurs qu'est-ce
que le danger devant le devoir? Enfin, rien ne l'empêchait
d'être prudent et de prendre ses précautions.

125 Quant à l'éducation de Cosette, elle était à peu près termi-
née et complète.

Une fois sa détermination arrêtée, il attendit l'occasion. Elle
ne tarda pas à se présenter. Le vieux Fauchelevent mourut.

Jean Valjean demanda audience à la révérende prieure et lui
130 dit qu'ayant fait à la mort de son frère un petit héritage qui lui
permettait de vivre désormais sans travailler, il quittait le
service du couvent, et emmenait sa fille ; mais que, comme il
n'était pas juste que Cosette, ne prononçant point ses vœux,
eût été élevée gratuitement, il suppliait humblement la révé-
135 rende prieure de trouver bon qu'il offrît à la communauté,
comme indemnité des cinq années que Cosette y avait pas-
sées, une somme de cinq mille francs.

C'est ainsi que Jean Valjean sortit du couvent de l'Adoration Perpétuelle. (**28**)

––––––––––– **QUESTIONS** –––––––––––

28. En quoi consistent essentiellement les scrupules éprouvés ici par Jean
Valjean? — Dans quelle intention Hugo prête-t-il à son personnage les
réflexions exposées ici? Le problème envisagé vous semble-t-il ressortir plutôt
au domaine humain ou plutôt au domaine religieux? Pourquoi l'auteur a-t-il
voulu terminer sur une pensée *moins héroïque que les autres?* — Le style de ces
paragraphes n'épouse-t-il pas la forme du raisonnement de Jean Valjean?

Seulement, voilà de cela bien des années déjà, une main y a écrit au crayon ~~...~~

~~...~~ *ces quatre vers qui sont devenus peu à peu illisibles sous la pluie et la poussière, et qui sont aujourd'hui effacés :*

~~...~~
~~...~~
~~...~~

Il dort. Quoique le sort fût pour lui bien étrange,
il vivait. il mourut quand il n'eut plus son ange;
la chose simplement d'elle-même arriva,
comme la nuit se fait lorsque le jour s'en va.

—

fin.

Mont St Jean. 30 juin 1861. 8 h. 1/2 du matin

(aujourd'hui 30 juin apparition à 8 h. 1/2
d'une comète. elle est immense.
la queue a dix sept millions de lieues.)

Phot. X.

Fac-similé du manuscrit de la fin des *Misérables*.

Paris, Bibliothèque nationale.

140   En quittant le couvent, il prit lui-même dans ses bras et ne
voulut confier à aucun commissionnaire la petite valise dont il
avait toujours la clef sur lui. Cette valise intriguait Cosette, à
cause de l'odeur d'embaumement qui en sortait.

   Disons tout de suite que désormais cette malle ne le quitta
145 plus. Il l'avait toujours dans sa chambre. C'était la première et
quelquefois l'unique chose qu'il emportait dans ses déménage-
ments. Cosette en riait, et appelait cette valise *l'inséparable,*
disant : J'en suis jalouse.

   Jean Valjean du reste ne reparut pas à l'air libre sans une
150 profonde anxiété.

   Il découvrit la maison de la rue Plumet et s'y blottit. Il était
désormais en possession du nom d'Ultime Fauchelevent.

   En même temps il loua deux autres appartements dans
Paris, afin de moins attirer l'attention que s'il fût toujours resté
155 dans le même quartier, de pouvoir faire au besoin des
absences à la moindre inquiétude qui le prendrait, et enfin de
ne plus se trouver au dépourvu comme la nuit où il avait si
miraculeusement échappé à Javert. Ces deux appartements
étaient deux logis, fort chétifs et d'apparence pauvre, dans
160 deux quartiers très éloignés l'un de l'autre, l'un rue de l'Ouest,
l'autre rue de l'Homme-Armé.

   Il allait de temps en temps, tantôt rue de l'Homme-Armé,
tantôt rue de l'Ouest, passer un mois ou six semaines avec
Cosette sans emmener Toussaint. Il s'y faisait servir par les
165 portiers et s'y donnait pour un rentier de la banlieue ayant un
pied-à-terre en ville. Cette haute vertu avait trois domiciles
dans Paris pour échapper à la police. **(29) (30)**

[Jean Valjean fait maintenant, sous le nom de Fauchelevent, partie
de la garde nationale. Rue Plumet, il a installé Cosette dans le pavillon
et s'est attribué « espèce de loge de portier [...] dans la cour du
fond ». Il couche sur un lit de sangle et mange du pain bis.

──────── **QUESTIONS** ────────────────────

29. Que contient la valise dont Jean Valjean ne se sépare pas? Sa présence
dans le déménagement apparaît-elle essentielle au lecteur? Que résulte-t-il du
fait qu'elle nous soit néanmoins signalée? Qu'y a-t-il de piquant dans la réflexion
de Cosette à propos de « *l'inséparable* »? Dans quelle intention l'auteur la lui
fait-il, selon vous, formuler? — Pourquoi nous détaille-t-il les précautions prises
par son personnage pour garder son incognito? Serviront-elles? Dans quelles
circonstances? Vous apprécierez l'art de la préparation dont Hugo fait, une fois
de plus, montre ici. — Sur quel effet repose la chute du passage? Quel sens
donnez-vous à ce paradoxe?

Questions 30, v. p. 49.

Cosette prend conscience de sa beauté et devient coquette. Elle tombe amoureuse de Marius. Jean Valjean, qui sent le cœur de sa protégée lui échapper, met fin à leurs promenades au Luxembourg. Le vieil homme et la jeune fille souffrent, chacun de leur côté, sans se rien avouer de leur détresse.]

LIVRE QUATRIÈME

SECOURS D'EN BAS PEUT ÊTRE SECOURS D'EN HAUT

[Agressé par Montparnasse, qu'il terrasse aisément, Jean Valjean lui adresse un sermon et lui remet sa bourse. Gavroche, qui s'apprêtait à voler M. Mabeuf et que la misère du vieillard faisait hésiter, assiste à la scène. Il fait alors les poches du brigand et jette l'argent aux pieds de l'ex-marguillier. «Cela tombe du ciel», dit la mère Plutarque.]

LIVRE CINQUIÈME

DONT LA FIN NE RESSEMBLE PAS AU COMMENCEMENT

[Cosette a presque complètement oublié son amoureux du Luxembourg, lorsqu'elle trouve dans son jardin une lettre de Marius. La lecture l'en bouleverse, et l'ancienne passion renaît dans toute sa force. « L'abîme Eden venait de se rouvrir. »]

─────── **QUESTIONS** ───────

30. SUR L'ENSEMBLE DU CHAPITRE PREMIER. — Comment se présente cette réapparition de Jean Valjean *à l'air libre?* Le lecteur n'aurait-il pas dû, en stricte logique, en être averti plus tôt? Pourquoi l'auteur a-t-il choisi de nous en faire part au moyen d'un retour en arrière? Quels avantages a-t-il retirés de ce bouleversement de la chronologie?

— Relevez tous les thèmes et procédés qui vous semblent empruntés au roman populaire. Quel usage l'écrivain en fait-il ici? Vous paraît-il suffisamment discret? Cet usage est-il justifié par la nature de l'histoire qui nous est racontée?

— Hugo ne pouvait-il se borner à nous signaler que Jean Valjean était sorti du couvent? Pourquoi s'est-il attaché longuement à expliquer et à justifier cet événement? Montrez qu'il a trouvé ainsi l'occasion d'établir une sorte de bilan de l'évolution de son héros.

— Pour quelle raison le romancier ne nous parle-t-il pas de Cosette dans ce chapitre? Quand se réserve-t-il de nous entretenir de la jeune fille?

LES VIEUX SONT FAITS POUR SORTIR À PROPOS

Le soir venu, Jean Valjean sortit ; Cosette s'habilla. Elle
arrangea ses cheveux de la manière qui lui allait le mieux, et
elle mit une robe dont le corsage, qui avait reçu un coup de
ciseau de trop, et qui, par cette échancrure, laissait voir la
5 naissance du cou, était, comme disent les jeunes filles, « un
peu indécent ». Ce n'était pas le moins du monde indécent,
mais c'était plus joli qu'autrement. Elle fit toute cette toilette
sans savoir pourquoi.

Voulait-elle sortir ? non.

10 Attendait-elle une visite ? non.

A la brune, elle descendit au jardin. Toussaint était occupée
à sa cuisine qui donnait sur l'arrière-cour.

Elle se mit à marcher sous les branches, les écartant de
temps en temps avec la main, parce qu'il y en avait de très
15 basses.

Elle arriva ainsi au banc.

La pierre y était restée.

Elle s'assit, et posa sa douce main blanche sur cette pierre
comme si elle voulait la caresser et la remercier.

20 Tout à coup, elle eut cette impression indéfinissable qu'on
éprouve, même sans voir, lorsqu'on a quelqu'un debout derrière soi.

Elle tourna la tête et se dressa.

C'était lui.

25 Il était tête nue. Il paraissait pâle et amaigri. On distinguait
à peine son vêtement noir. Le crépuscule blêmissait son beau
front et couvrait ses yeux de ténèbres. Il avait, sous un voile
d'incomparable douceur, quelque chose de la mort et de la
nuit. Son visage était éclairé par la clarté du jour qui se meurt
30 et par la pensée d'une âme qui s'en va.

Il semblait que ce n'était pas encore le fantôme et que ce
n'était déjà plus l'homme.

Son chapeau était jeté à quelques pas dans les broussailles.

Cosette, prête à défaillir, ne poussa pas un cri. Elle reculait
35 lentement, car elle se sentait attirée. Lui ne bougeait point. A
je ne sais quoi d'ineffable et de triste qui l'enveloppait, elle
sentait le regard de ses yeux qu'elle ne voyait pas.

Cosette, en reculant, rencontra un arbre et s'y adossa. Sans
cet arbre, elle fût tombée. **(31)**

40   Alors elle entendit sa voix, cette voix qu'elle n'avait vraiment jamais entendue, qui s'élevait à peine au-dessus du frémissement des feuilles et qui murmurait :

— Pardonnez-moi, je suis là. J'ai le cœur gonflé, je ne
pouvais pas vivre comme j'étais, je suis venu. Avez-vous lu ce
45 que j'avais mis là, sur ce banc? me reconnaissez-vous un peu?
n'ayez pas peur de moi. Voilà du temps déjà, vous rappelez-
vous le jour où vous m'avez regardé? c'était dans le Luxembourg, près du gladiateur. Et le jour où vous avez passé devant
moi? c'était le 16 juin et le 2 juillet. Il va y avoir un an. Depuis
50 bien longtemps, je ne vous ai plus vue. J'ai demandé à la
loueuse de chaises, elle m'a dit qu'elle ne vous voyait plus.
Vous demeuriez rue de l'Ouest au troisième sur le devant dans
une maison neuve, vous voyez que je sais? Je vous suivais,
moi. Qu'est-ce que j'avais à faire? Et puis vous avez disparu.
55 J'ai cru vous voir passer une fois que je lisais les journaux
sous les arcades de l'Odéon. J'ai couru. Mais non. C'était une
personne qui avait un chapeau comme vous. La nuit, je viens
ici. Ne craignez pas, personne ne me voit. Je viens regarder
vos fenêtres de près. Je marche bien doucement pour que vous
60 n'entendiez pas, car vous auriez peut-être peur. L'autre soir
j'étais derrière vous, vous vous êtes retournée, je me suis
enfui. Une fois, je vous ai entendue chanter. J'étais heureux.
Est-ce que cela vous fait quelque chose que je vous entende
chanter à travers le volet? cela ne peut rien vous faire. Non,
65 n'est-ce pas? Voyez-vous, vous êtes mon ange, laissez-moi
venir un peu; je crois que je vais mourir. Si vous saviez! je
vous adore, moi! Pardonnez-moi, je vous parle, je ne sais pas

─────── **QUESTIONS** ───────

31. Quelle idée l'auteur veut-il nous donner de Cosette dans les premières
lignes de ce passage? Par quels côtés cette dernière est-elle déjà femme? En
quoi demeure-t-elle pourtant encore enfant? Sur quelle impression vous laisse le
mélange d'innocence et de coquetterie qui se manifeste à travers sa conduite? —
Comment le style souligne-t-il le caractère impulsif et désordonné des actes de
la jeune fille? Vous étudierez de ce point de vue la brièveté des paragraphes, la
nature saccadée de certains énoncés et le léger décousu de l'ensemble du récit.
— Par quels yeux Hugo nous fait-il ici voir Marius? A quoi le remarquez-vous
notamment? Dans quel ordre nous sont, en particulier, communiqués les principaux détails relatifs à l'allure et à la physionomie du personnage? Qu'en concluez-vous? — Sur quelle impression d'ensemble vous laisse ce bref aperçu du
jeune homme amoureux? Qu'y a-t-il d'encore très romantique dans la conception de ce portrait? Comment l'expliquez-vous?

ce que je vous dis, je vous fâche peut-être, est-ce que je vous fâche?

70 — O ma mère! dit-elle.

Et elle s'affaissa sur elle-même comme si elle se mourait.

Il la prit, elle tombait, il la prit dans ses bras, il la serra étroitement sans avoir conscience de ce qu'il faisait. Il la soutenait tout en chancelant. Il était comme s'il avait la tête
75 pleine de fumée; des éclairs lui passaient entre les cils; ses idées s'évanouissaient; il lui semblait qu'il accomplissait un acte religieux et qu'il commettait une profanation. Du reste il n'avait pas le moindre désir de cette femme ravissante dont il sentait la forme contre sa poitrine. Il était éperdu d'amour.

80 Elle lui prit une main et la posa sur son cœur. Il sentit le papier qui y était, il balbutia :

— Vous m'aimez donc?

Elle répondit d'une voix si basse que ce n'était plus qu'un souffle qu'on entendait à peine :

85 — Tais-toi! tu le sais!

Et elle cacha sa tête rouge dans le sein du jeune homme superbe et enivré. (**32**)

Il tomba sur le banc, elle près de lui. Ils n'avaient plus de paroles. Les étoiles commençaient à rayonner. Comment se
90 fit-il que leurs lèvres se rencontrèrent? Comment se fait-il que l'oiseau chante, que la neige fonde, que la rose s'ouvre, que mai s'épanouisse, que l'aube blanchisse derrière les arbres noirs au sommet frissonnant des collines?

Un baiser, et ce fut tout.

95 Tous deux tressaillirent, et ils se regardèrent dans l'ombre avec des yeux éclatants.

Ils ne sentaient ni la nuit fraîche, ni la pierre froide, ni la terre humide, ni l'herbe mouillée, ils se regardaient et ils

──────── **QUESTIONS** ────────

32. Comment s'organise la déclaration de Marius à Cosette? Pourquoi commence-t-elle par une série de questions? Quel sentiment du jeune homme ces dernières manifestent-elles? Pour quelle raison sont-elles immédiatement suivies de dates et d'indications précises? Que veut ainsi démontrer le jeune homme? A quoi renvoient ensuite ses paroles? Sur quels propos achève-t-il? Son discours n'obéit-il pas, sous un décousu apparent, à une certaine logique dans la succession des idées? Dans quelle mesure cette observation vous renseigne-t-elle sur l'état d'âme du jeune homme? — Quelle idée le romancier cherche-t-il à nous donner de la façon dont s'avoue l'amour des deux jeunes gens? Par quelle image nous en signale-t-il simultanément la beauté et le danger? A quelle idée déjà exprimée nous renvoie-t-il ainsi? — Quelle importance attribuez-vous au fait que Cosette soit la première à user du tutoiement?

avaient le cœur plein de pensées. Ils s'étaient pris les mains,
100 sans savoir.

Elle ne lui demandait pas, elle n'y songeait pas même, par
où il était entré et comment il avait pénétré dans le jardin.
Cela lui paraissait si simple qu'il fût là!

De temps en temps le genou de Marius touchait le genou de
105 Cosette, et tous deux frémissaient.

Par intervalles, Cosette bégayait une parole. Son âme tremblait à ses lèvres comme une goutte de rosée à une fleur.

Peu à peu ils se parlèrent. L'épanchement succéda au
silence qui est la plénitude. La nuit était sereine et splendide
110 au-dessus de leur tête. Ces deux êtres, purs comme des
esprits, se dirent tout, leurs songes, leurs ivresses, leurs
extases, leurs chimères, leurs défaillances, comme ils s'étaient
adorés de loin, comme ils s'étaient souhaités, leur désespoir
quand ils avaient cessé de s'apercevoir. Ils se confièrent dans
115 une intimité idéale, que rien déjà ne pouvait plus accroître, ce
qu'ils avaient de plus caché et de plus mystérieux. Ils se
racontèrent, avec une foi candide dans leurs illusions, tout ce
que l'amour, la jeunesse et ce reste d'enfance qu'ils avaient,
leur mettaient dans la pensée. Ces deux cœurs se versèrent
120 l'un dans l'autre, de sorte qu'au bout d'une heure, c'était le
jeune homme qui avait l'âme de la jeune fille et la jeune fille
qui avait l'âme du jeune homme. Ils se pénétrèrent, ils s'en-
chantèrent, ils s'éblouirent.

Quand ils eurent fini, quand ils se furent tout dit, elle posa
125 sa tête sur son épaule et lui demanda :

— Comment vous appelez-vous?

— Je m'appelle Marius, dit-il. Et vous?

— Je m'appelle Cosette. (33) (34)

───── **QUESTIONS** ─────

33. Quelle vous semble être, d'après ce passage, la conception hugolienne de
l'amour? Comment l'auteur nous indique-t-il la force et la pureté du sentiment
qui unit Marius et Cosette? Quelle interprétation proposez-vous de la fréquence
des expressions métaphoriques? Dans quelle mesure sont-elles pour Hugo un
moyen d'exprimer l'indicible?

34. SUR L'ENSEMBLE DU CHAPITRE VI. — Le style de ce passage vous paraît-il
en accord avec le caractère des différents événements qui y sont successivement
rapportés? Dans quelles circonstances y rencontre-t-on des tours interrogatifs?
des phrases saccadées? des énoncés plus élaborés? L'écriture de ces pages
n'est-elle pas, dans son ensemble, à la fois simple et poétique?

— Quelle importance accordez-vous à ce chapitre? Ne fixe-t-il pas un point
de non-retour pour les principaux personnages?

LIVRE SIXIÈME

LE PETIT GAVROCHE

[L'arrestation de Thénardier a pour conséquence de jeter à la rue
ses deux plus jeunes garçons (« paraissant l'un sept ans, l'autre
cinq »). Gavroche les recueille sans les connaître et les mène coucher,
place de la Bastille, à l'intérieur d' « un éléphant de quarante pieds de
haut, construit en charpente et en maçonnerie », maquette d'un monu-
ment projeté par Napoléon. Dans la nuit, Patron-Minette, dont deux
membres viennent de s'échapper de la Force, fait appel au gamin pour
aider à l'évasion d'un prisonnier, en lequel il a la surprise de reconnaître son père. Hugo nous restitue exactement le langage pittoresque
des personnages qu'il met en scène dans ce sixième livre.]

LIVRE SEPTIÈME

L'ARGOT

I

ORIGINE

Pigritia[37] est un mot terrible.

Il engendre un monde, la *pègre*[38], lisez : *le vol;* et un enfer,
la *pégrenne,* lisez : *la faim.*

Ainsi la paresse est mère.

5 Elle a un fils, le vol, et une fille, la faim.

Où sommes-nous en ce moment? Dans l'argot.

Qu'est-ce que l'argot? C'est tout à la fois la nation et
l'idiome; c'est le vol sous ses deux espèces : peuple et langue.

Lorsqu'il y a trente-quatre ans, le narrateur de cette grave et
10 sombre histoire introduisait au milieu d'un ouvrage écrit dans
le même but que celui-ci[39], un voleur parlant argot, il y eut
ébahissement et clameur. — Quoi! comment! l'argot! Mais
l'argot est affreux! mais c'est la langue des chiourmes, des

---

37. *Pigritia* (mot latin) : « paresse »; **38.** *Pègre.* Le mot semble plutôt venir de l'argot
marseillais *pego,* signifiant « poix » et, par extension, « voleur » (la dextérité des voleurs était
telle qu'ils donnaient l'impression d'avoir de la poix au bout des doigts); **39.** *Le Dernier Jour
d'un condamné* (note de Victor Hugo).

bagnes, des prisons, de tout ce que la société a de plus abomi-
15 nable! etc., etc., etc.

Nous n'avons jamais compris ce genre d'objections.

Depuis, deux puissants romanciers, dont l'un est un profond
observateur du cœur humain, l'autre un intrépide ami du peuple, Balzac et Eugène Sue[40], ayant fait parler des bandits dans
20 leur langue naturelle comme l'avait fait en 1828 l'auteur du
Dernier Jour d'un condamné, les mêmes réclamations se sont
élevées. On a répété : — Que nous veulent les écrivains avec
ce révoltant patois? L'argot est odieux! l'argot fait frémir!

Qui le nie? Sans doute.

25 Lorsqu'il s'agit de sonder une plaie, un gouffre ou une
société, depuis quand est-ce un tort de descendre trop avant,
d'aller au fond? Nous avions toujours pensé que c'était quelquefois un acte de courage, et tout au moins une action simple
et utile, digne de l'attention sympathique que mérite le devoir
30 accepté et accompli. Ne pas tout explorer, ne pas tout étudier,
s'arrêter en chemin, pourquoi? S'arrêter est le fait de la sonde
et non du sondeur.

Certes, aller chercher dans les bas-fonds de l'ordre social, là
où la terre finit et où la boue commence, fouiller dans ces
35 vagues épaisses, poursuivre, saisir et jeter tout palpitant sur le
pavé cet idiome abject qui ruisselle de fange ainsi tiré au jour,
ce vocabulaire pustuleux dont chaque mot semble un anneau
immonde d'un monstre de la vase et des ténèbres, ce n'est ni
une tâche attrayante ni une tâche aisée. Rien n'est plus lugu-
40 bre que de contempler ainsi à nu, à la lumière de la pensée, le
fourmillement effroyable de l'argot. Il semble en effet que ce
soit une sorte d'horrible bête faite pour la nuit qu'on vient
d'arracher de son cloaque. On croit voir une affreuse brous-
saille vivante et hérissée qui tressaille, se meut, s'agite, rede-
45 mande l'ombre, menace et regarde. Tel mot ressemble à une
griffe, tel autre à un œil éteint et sanglant; telle phrase semble
remuer comme une pince de crabe. Tout cela vit de cette
vitalité hideuse des choses qui se sont organisées dans la
désorganisation.

50 Maintenant, depuis quand l'horreur exclut-elle l'étude?
depuis quand la maladie chasse-t-elle le médecin? Se

---

40. Le premier dans *Vautrin* (1847) et le second dans *les Mystères de Paris* (1842-1843). Ces
deux écrivains se sont inspirés de Vidocq, dont les *Mémoires* (1828-1829) et *les Voleurs* (1836)
avaient mis l'argot à la mode.

figure-t-on un naturaliste qui refuserait d'étudier la vipère, la chauve-souris, le scorpion, le scolopendre[41], la tarentule[42], et qui les rejetterait dans leurs ténèbres en disant : Oh! que c'est
55 laid! Le penseur qui se détournerait de l'argot ressemblerait à un chirurgien qui se détournerait d'un ulcère ou d'une verrue. Ce serait un philologue hésitant à scruter un fait de l'humanité. Car, il faut bien le dire à ceux qui l'ignorent, l'argot est tout ensemble un phénomène littéraire et un résultat social.
60 Qu'est-ce que l'argot proprement dit? L'argot est la langue de la misère. **(35)**

[L'auteur conclut cette incursion dans la langue de la pègre en réaffirmant sa foi en le progrès. « Le penseur aujourd'hui, nous dit-il, a un grand devoir, ausculter la civilisation. » En effet, « des maladies de peuple ne tuent pas l'homme » ; et il faut aller chercher l'humanité jusque dans les bas-fonds, pour la sauver.]

LIVRE HUITIÈME

LES ENCHANTEMENTS ET LES DÉSOLATIONS

[L'idylle de Cosette et de Marius qui se retrouvent secrètement chaque soir, dans le jardin, se poursuit dans la plus parfaite insouciance, jusqu'au jour où Jean Valjean annonce à sa fille d'adoption sa décision de quitter la France. Le jeune homme tente une démarche désespérée auprès de son grand-père : il s'agit d'obtenir de M. Gillenormand son consentement au mariage. Le vieillard se montre involontairement maladroit et son petit-fils le quitte avec indignation. Tout espoir de réconciliation semble perdu.]

---

41. *Scolopendre :* variété de mille-pattes ; **42.** *Tarentule :* grosse araignée d'Europe méridionale.

--- **QUESTIONS** ---

35. Comment l'auteur parvient-il à conférer une dimension inquiétante et fantastique à ses considérations sur le langage des malfaiteurs? Quel est, de ce point de vue, le rôle des adjectifs qui le caractérisent? des images animistes qui l'évoquent? La vision hugolienne de l'argot nous est-elle imposée d'emblée? A quel moment se précise-t-elle? Vous apprécierez l'habileté de l'écrivain à ménager ses effets. — Pourquoi Hugo se recommande-t-il de précédents littéraires? N'en profite-t-il pas pour se mettre discrètement en valeur? Quelle symbolique le romancier emploie-t-il pour rendre compte du caractère odieux qu'il reconnaît à l'argot? Que concluez-vous du rapprochement ainsi opéré? — Comment essaie-t-il de justifier son utilisation de la langue des bas-fonds? Ne propose-t-il pas deux explications, dont la seconde complète la première? De quelle façon les soutient-il? Son raisonnement vous paraît-il cohérent? Son argumentation vous semble-t-elle recevable?

LIVRE NEUVIÈME

OÙ VONT-ILS ?

[Jean Valjean, qui a aperçu Thénardier rôdant autour de chez lui et que les troubles politiques inquiètent, quitte subitement son domicile de la rue Plumet. Marius, désespéré, trouve le jardin désert ; une voix mystérieuse lui apprend que ses amis l'attendent « à la barricade de la rue de la Chanvrerie ». De son côté, M. Mabeuf, à bout de ressources, abandonne ce qu'il lui reste d'argent au chevet de sa servante malade et sort « d'un air égaré ».]

LIVRE DIXIÈME

LE 5 JUIN 1832

[« Il y a, déclare Hugo, l'émeute, et il y a l'insurrection. » Et il précise : « Dans toutes les questions qui ressortissent à la souveraineté collective, la guerre du tout contre la fraction est insurrection, l'attaque de la fraction contre le tout est émeute. » Il condamne donc l'émeute et légitime l'insurrection. Quant au mouvement de juin 1832, « c'est une insurrection ».]

III

UN ENTERREMENT : OCCASION DE RENAÎTRE

Au printemps de 1832, quoique depuis trois mois le choléra[43] eût glacé les esprits et jeté sur leur agitation je ne sais quel morne apaisement, Paris était dès longtemps prêt pour une commotion. Ainsi que nous l'avons dit, la grande ville
5 ressemble à une pièce de canon ; quand elle est chargée, il suffit d'une étincelle qui tombe, le coup part. En juin 1832, l'étincelle fut la mort du général Lamarque[44].

Lamarque était un homme de renommée et d'action. Il avait eu successivement, sous l'empire et sous la restauration, les

---

43. C'est en 1832 que le choléra fit sa première apparition en Europe. Il y eut 18 400 décès à Paris entre mars et octobre ; 44. *Lamarque :* ancien général d'Empire (1770-1832) ; député de Mont-de-Marsan (1828), il est l'un des principaux chefs de l'opposition républicaine, lorsqu'il meurt, victime du choléra.

10 deux bravoures nécessaires aux deux époques, la bravoure des
champs de bataille et la bravoure de la tribune. Il était élo-
quent comme il avait été vaillant ; on sentait une épée dans sa
parole. Comme Foy[45], son devancier, après avoir tenu haut le
commandement, il tenait haut la liberté. Il siégeait entre la
15 gauche et l'extrême gauche, aimé du peuple parce qu'il acceptait les chances de l'avenir, aimé de la foule parce qu'il avait
bien servi l'Empereur. Il était, avec les comtes Gérard et
Drouet[46], un des maréchaux *in petto*[47] de Napoléon. Les traités de 1815 le soulevaient comme une offense personnelle. Il
20 haïssait Wellington[48] d'une haine directe qui plaisait à la multitude ; et depuis dix-sept ans, à peine attentif aux événements
intermédiaires, il avait majestueusement gardé la tristesse de
Waterloo. Dans son agonie, à sa dernière heure, il avait serré
contre sa poitrine une épée que lui avaient décernée les offi-
25 ciers des Cent Jours. Napoléon était mort en prononçant le
mot *armée*. Lamarque en prononçant le mot *patrie*. **(36)**

Sa mort, prévue, était redoutée du peuple comme une perte
et du gouvernement comme une occasion. Cette mort fut un
deuil. Comme tout ce qui est amer, le deuil peut se tourner en
30 révolte. C'est ce qui arriva.

La veille et le matin du 5 juin, jour fixé pour l'enterrement
de Lamarque, le faubourg St-Antoine, que le convoi devait
venir toucher, prit un aspect redoutable. Ce tumultueux réseau
de rues s'emplit de rumeurs. On s'y armait comme on pouvait.
35 Des menuisiers emportaient le volet de leur établi « pour
enfoncer les portes ». Un d'eux s'était fait un poignard d'un

---

45. *Foy* : général d'Empire (1775-1825) ; député de l'Aisne (1819), il fut l'un des défenseurs du parti libéral ; **46.** Anciens généraux de Bonaparte, *Gérard* (1773-1852) et *Drouet d'Erlon* (1765-1844) seront tous les deux nommés maréchaux par Louis-Philippe ; **47.** *In petto* : expression italienne signifiant littéralement « dans la poitrine » ; d'où le sens « dans son for intérieur », « à part soi ». Dans le langage ecclésiastique, *in petto* s'applique à des nominations secrètes que le pape se réserve de publier ultérieurement ; c'est dans un emploi dérivé de cette dernière acception que Hugo utilise ici la formule ; **48.** *Wellington* : le vainqueur de Waterloo (1769-1852).

--------------- **QUESTIONS** ---------------

36. A quelle mise en place Hugo procède-t-il, une fois encore, au début de ce chapitre ? Rappelez rapidement l'intérêt de l'insertion des principaux épisodes des *Misérables* dans un contexte historique précis. — Pourquoi l'auteur nous fournit-il une brève évocation de la vie et de la carrière de Lamarque ? Sur quoi la popularité du personnage vous semble-t-elle essentiellement reposer ? Quelle idée de l'état des esprits en 1832 tend-elle à vous suggérer ? Quels vous parais-sent être d'après ce passage les sentiments personnels du romancier à l'égard du général ?

crochet de chaussonnier en cassant le crochet et en aiguisant
le tronçon. Un autre, dans la fièvre « d'attaquer », couchait
depuis trois jours tout habillé. Un charpentier nommé Lom-
40 bier rencontrait un camarade qui lui demandait : Où vas-tu?
— Eh bien! je n'ai pas d'armes. — Et puis? — Je vais à mon
chantier chercher mon compas. — Pour quoi faire? — Je ne
sais pas, disait Lombier. Un nommé Jacqueline, homme d'ex
pédition, abordait les ouvriers quelconques qui passaient :
45 — Viens, toi! — Il payait dix sous de vin, et disait : — As-tu
de l'ouvrage? — Non. — Va chez Filspierre, entre la barrière
Montreuil et la barrière Charonne, tu trouveras de l'ouvrage.
— On trouvait chez Filspierre des cartouches et des armes.
Certains chefs connus *faisaient la poste,* c'est-à-dire couraient
50 chez l'un et l'autre pour rassembler leur monde. Chez Barthé-
lemy, près de la barrière du Trône, chez Capel, au Petit-Chapeau,
les buveurs s'accostaient d'un air grave. On les entendait se
dire : — *Où as-tu ton pistolet? — Sous ma blouse. Et toi?*
— *Sous ma chemise.* Rue Traversière devant l'atelier Roland,
55 et cour de la Maison-Brûlée, devant l'atelier de l'outilleur
Bernier, des groupes chuchotaient. On y remarquait, comme le
plus ardent, un certain Mavot, qui ne faisait jamais plus d'une
semaine dans un atelier, les maîtres le renvoyant « parce qu'il
fallait tous les jours se disputer avec lui ». Mavot fut tué le
60 lendemain dans la barricade de la rue Ménilmontant. Pretot,
qui devait mourir aussi dans la lutte, secondait Mavot, et à
cette question : quel est ton but? répondait : — *L'insurrection.* Des ouvriers rassemblés au coin de la rue de Bercy
attendaient un nommé Lemarin, agent révolutionnaire pour le
65 faubourg St-Marceau. Des mots d'ordre s'échangeaient
presque publiquement. (37)

Le 5 juin donc, par une journée mêlée de pluie et de soleil,
le convoi du général Lamarque traversa Paris avec la pompe

─────── **QUESTIONS** ───────

37. Comment Hugo parvient-il à conférer un cachet de vérité à sa relation des
préparatifs de l'émeute? Quel rôle jouent notamment, de ce point de vue, les
détails précis et circonstanciés qu'il nous fournit? Pour quelle raison nous les
communique-t-il de façon désordonnée? Quelle impression vise-t-il ainsi à produire? Pourquoi nous cite-t-il un certain nombre de noms propres de personnes
ou de lieux? En quoi ceux-ci contribuent-ils à la crédibilité du récit? — Pouvez-
vous caractériser en quelques mots le style du passage? Quelles en sont, selon
vous, les caractéristiques principales? Que traduisent-elles? Dans quelle mesure
soulignent-elles les particularités de la situation insurrectionnelle qui nous est
exposée ici?

militaire officielle, un peu accrue par les précautions. Deux
70 bataillons, tambours drapés, fusils renversés, dix mille gardes
nationaux, le sabre au côté, les batteries de l'artillerie de la
garde nationale, escortaient le cercueil. Le corbillard était
traîné par des jeunes gens. Les officiers des Invalides le suivaient immédiatement, portant des branches de laurier. Puis
75 venait une multitude innombrables, agitée, étrange, les sec-
tionnaires des Amis du Peuple, l'école de droit, l'école de
médecine, les réfugiés de toutes les nations, drapeaux espa-
gnols, italiens, allemands, polonais, drapeaux tricolores hori-
zontaux, toutes les bannières possibles, des enfants agitant des
80 branches vertes, des tailleurs de pierre et des charpentiers qui
faisaient grève en ce moment-là même, des imprimeurs reconnaissables à leurs bonnets de papier, marchant deux par deux,
trois par trois, poussant des cris, agitant presque tous des
bâtons, quelques-uns des sabres, sans ordre et pourtant avec
85 une seule âme, tantôt une cohue, tantôt une colonne. Des
pelotons se choisissaient des chefs ; un homme, armé d'une
paire de pistolets parfaitement visible, semblait en passer d'autres en revue dont les files s'écartaient devant lui. Sur les
contre-allées des boulevards, dans les branches des arbres,
90 aux balcons, aux fenêtres, sur les toits, les têtes fourmillaient,
hommes, femmes, enfants ; les yeux étaient pleins d'anxiété.
Une foule armée passait, une foule effarée regardait.

De son côté le gouvernement observait. Il observait, la main
sur la poignée de l'épée. On pouvait voir, tout prêts à marcher,
95 gibernes pleines, fusils et mousquetons chargés, place
Louis XV, quatre escadrons de carabiniers, en selle et clairons
en tête ; dans le pays latin et au Jardin des Plantes, la garde
municipale, échelonnée de rue en rue, à la Halle-aux-Vins un
escadron de dragons, à la Grève une moitié du 12e léger,
100 l'autre moitié à la Bastille, le 6e dragons aux Célestins, de
l'artillerie plein la cour du Louvre. Les reste des troupes était
consigné dans les casernes, sans compter les régiments des
environs de Paris. Le pouvoir inquiet tenait suspendus sur la
multitude menaçante vingt-quatre mille soldats dans la ville et
105 trente mille dans la banlieue.

Divers bruits circulaient dans le cortège. On parlait de
menées légitimistes ; on parlait du duc de Reichstadt[49], que

---

49. Il s'agit du fils de Napoléon Ier (l'Aiglon), qui devait, en effet, mourir de la phtisie le
22 juillet 1832.

Dieu marquait pour la mort à cette minute même où la foule le
désignait pour l'empire. Un personnage resté inconnu annon-
110 çait qu'à l'heure dite deux contremaîtres gagnés ouvriraient au
peuple les portes d'une fabrique d'armes. Ce qui dominait sur
les fronts découverts de la plupart des assistants, c'était un
enthousiasme mêlé d'accablement. On voyait aussi çà et là
dans cette multitude en proie à tant d'émotions violentes, mais
115 nobles, de vrais visages de malfaiteurs et des bouches ignobles
qui disaient : pillons! Il y a de certaines agitations qui remuent
le fond des marais et qui font monter dans l'eau des nuages de
boue. Phénomène auquel ne sont point étrangères les polices
« bien faites ». (38)
120   Le cortège chemina, avec une lenteur fébrile, de la maison
mortuaire par les boulevards jusqu'à la Bastille. Il pleuvait de
temps en temps ; la pluie ne faisait rien à cette foule. Plusieurs
incidents, le cercueil promené autour de la colonne Vendôme,
des pierres jetées au duc de Fitz-James[50] aperçu à un balcon le
125 chapeau sur la tête, le coq gaulois arraché d'un drapeau populaire et traîné dans la boue[51], un sergent de ville blessé d'un
coup d'épée à la porte St-Martin, un officier du 12e léger disant
tout haut : Je suis républicain, l'école polytechnique survenant
après sa consigne forcée, les cris : Vive l'école polytechnique!
130 Vive la république! marquèrent le trajet du convoi. A la Bastille, les longues files de curieux redoutables qui descendaient
du faubourg St-Antoine firent leur jonction avec le cortège et
un certain bouillonnement terrible commença à soulever la
foule.
135   On entendit un homme qui disait à un autre : — Tu vois

---

50. *Fitz-James :* ardent légitimiste (1776-1838), défenseur des thèses ultras et de la Terreur
blanche ; **51.** L'emblème du coq gaulois avait été remis à l'honneur sous Louis-Philippe.

--------- **QUESTIONS** ---------

38. Pourquoi l'écrivain nous décrit-il avec un tel souci de précision la pompe
de la cérémonie? la composition du cortège? les précautions prises en vue de
combattre l'émeute? En quoi se révèle-t-il, ce faisant, historien consciencieux?
romancier avisé? Vous apprécierez son habileté à utiliser les exigences de
l'histoire pour soutenir l'intérêt du roman. — Quelle est, à votre avis, le mobile
qui incite Hugo à signaler parmi les manifestants une certaine proportion de
malfaiteurs? quelques éléments relevant plus ou moins des services de police?
Ne prépare-t-il pas ainsi certains épisodes à venir de son roman? Lesquels? —
Quelle est la qualité dominante du style de cette page? Comment l'interprétez-
vous? La jugez-vous appropriée à la relation des événements rapportés?

bien celui-là avec sa barbiche rouge, c'est lui qui dira quand il faudra tirer. Il paraît que cette même barbiche rouge s'est retrouvée plus tard avec la même fonction dans une autre émeute ; l'affaire Quénisset[52].

140 Le corbillard dépassa la Bastille, suivit le canal, traversa le petit pont et atteignit l'esplanade du pont d'Austerlitz. Là il s'arrêta. En ce moment cette foule vue à vol d'oiseau eût offert l'aspect d'une comète dont la tête était à l'esplanade et dont la queue développée sur le quai Bourdon couvrait la

145 Bastille et se prolongeait sur le boulevard jusqu'à la porte St-Martin. Un cercle se traça autour du corbillard. La vaste cohue fit silence. Lafayette parla et dit adieu à Lamarque. Ce fut un instant touchant et auguste, toutes les têtes se découvrirent, tous les cœurs battaient. Tout à coup un homme à che-

150 val, vêtu de noir, parut au milieu du groupe avec un drapeau rouge, d'autres disent avec une pique surmontée d'un bonnet rouge. Lafayette détourna la tête. Exelmans[53] quitta le cortège.

Ce drapeau rouge souleva un orage et y disparut. Du boulevard Bourdon au pont d'Austerlitz une de ces clameurs qui

155 ressemblent à des houles remua la multitude. Deux cris prodigieux s'élevèrent : — *Lamarque au Panthéon! — Lafayette à l'hôtel de ville!* — Des jeunes gens, aux acclamations de la foule, s'attelèrent et se mirent à traîner Lamarque dans le corbillard par le pont d'Austerlitz et Lafayette dans un fiacre

160 par le quai Morland.

Dans la foule qui entourait et acclamait Lafayette, on remarquait et l'on se montrait un allemand nommé Ludwig Snyder, mort centenaire depuis, qui avait fait lui aussi la guerre de 1776[54], et qui avait combattu à Trenton[55] sous

165 Washington et sous Lafayette à Brandywine[56].

Cependant sur la rive gauche la cavalerie municipale s'ébranlait et venait barrer le pont, sur la rive droite les dragons sortaient des Célestins et se déployaient le long du quai Morland. Le peuple qui traînait Lafayette les aperçut brusque-

---

52. *Quénisset* : scieur de long affilié à la société secrète des Travailleurs égalitaires. Il devait, le 13 septembre 1841, manquer un attentat contre le duc d'Aumale ; **53.** *Exelmans* : général de Napoléon (1775-1852). Il fut nommé pair de France pendant les Cent-Jours. Rentré en France après quelques années d'exil, il sera promu maréchal en 1851 et mourra accidentellement ; **54.** La guerre d'Indépendance américaine ; **55.** *Trenton* : victoire de Washington sur les Anglais (1776) ; **56.** *Brandywine* : défaite des troupes de Washington (11 sept. 1777), qui entraînera la prise de Philadelphie (25 sept.).

170 ment au coude du quai et cria : les dragons! Les dragons
s'avançaient au pas, en silence, pistolets dans les fontes,
sabres aux fourreaux, mousquetons aux porte-crosses, avec un
air d'attente sombre.

A deux cents pas du petit pont, ils firent halte. Le fiacre où
175 était Lafayette chemina jusqu'à eux, ils ouvrirent les rangs, le
laissèrent passer, et se refermèrent sur lui. En ce moment les
dragons et la foule se touchaient. Les femmes s'enfuyaient
avec terreur. **(39)**

Que se passa-t-il dans cette minute fatale? personne ne
180 saurait le dire. C'est le moment ténébreux où deux nuées se
mêlent. Les uns racontent qu'une fanfare sonnant la charge fut
entendue du côté de l'Arsenal, les autres qu'un coup de poignard fut donné par un enfant à un dragon. Le fait est que trois
coups de feu partirent subitement, le premier tua le chef d'es-
185 cadron Cholet, le second tua une vieille sourde qui fermait sa
fenêtre rue Contrescarpe, le troisième brûla l'épaulette d'un
officier; une femme cria : On commence trop tôt! et tout à
coup on vit du côté opposé au quai Morland un escadron de
dragons qui était resté dans la caserne déboucher au galop, le
190 sabre nu, par la rue Bassompierre et le boulevard Bourdon, et
balayer tout devant lui.

Alors tout est dit, la tempête se déchaîne, les pierres pleu-
vent, la fusillade éclate, beaucoup se précipitent au bas de la
berge et passent le petit bras de la Seine aujourd'hui comblé,
195 les chantiers de l'île Louviers, cette vaste citadelle toute faite,
se hérissent de combattants, on arrache des pieux, on tire des
coups de pistolet, une barricade s'ébauche, les jeunes gens
refoulés passent le pont d'Austerlitz avec le corbillard au pas
de course et chargent la garde municipale, les carabiniers
200 accourent, les dragons sabrent, la foule se disperse dans tous

───────── **QUESTIONS** ─────────

39. Quelle vue de la situation le narrateur nous propose-t-il? Est-ce celle d'un
membre du cortège? Est-ce la vision d'ensemble d'un historien documenté?
Comment l'écrivain parvient-il à concilier ces deux possibilités en un aperçu qui
nous offre simultanément l'ensemble et les détails de l'événement? Quelle
impression produit-il ainsi? — Par quel procédé rattache-t-il, ici encore, son
récit à une réalité historique précise? Le fait-il de manière systématique? De
quelle façon vous expliquez-vous sa technique? — Comment interprétez-vous
les attitudes respectives de Lafayette et d'Exelmans à la vue du drapeau rouge?
Quelle signification et quelle portée attribuez-vous à l'anecdote? — Le style
vous paraît-il adapté aux faits relatés ici? Quelle idée de la manifestation contribue-t-il à vous donner? Justifiez votre opinion.

les sens, une rumeur de guerre vole aux quatre coins de Paris, on crie : Aux armes! on court, on culbute, on fuit, on résiste. La colère emporte l'émeute comme le vent emporte le feu. **(40)** **(41)**

[Le soulèvement s'étend. Des barricades s'élèvent.]

LIVRE ONZIÈME

L'ATOME FRATERNISE AVEC L'OURAGAN

I

QUELQUES ÉCLAIRCISSEMENTS SUR LES ORIGINES DE LA POÉSIE DE GAVROCHE. — INFLUENCE D'UN ACADÉMICIEN SUR CETTE POÉSIE

A l'instant où l'insurrection, surgissant du choc du peuple et de la troupe devant l'Arsenal, détermina un mouvement d'avant en arrière dans la multitude qui suivait le corbillard, et qui, de toute la longueur des boulevards, pesait, pour ainsi 5 dire, sur la tête du convoi, ce fut un effrayant reflux. La cohue s'ébranla, les rangs se rompirent, tous coururent, partirent,

───── **QUESTIONS** ─────

40. Le point de vue adopté par Hugo est-il ici d'un témoin ou d'un historien? L'attitude de l'écrivain n'est-elle pas, en réalité, assez ambiguë? Pourquoi? — Propose-t-il une interprétation quant à la cause première du déclenchement des combats? Comment interprétez-vous cette attitude de sa part? — Quelle est, selon vous, la signification de la dernière phrase de ce passage?

41. SUR L'ENSEMBLE DU CHAPITRE III. — Comment le narrateur vous apparaît-il dans ce chapitre? Vous semble-t-il se comporter surtout en historien ou surtout en romancier? Ne pensez-vous pas qu'il parvient, en fait, à concilier ces deux rôles? Ne les amène-t-il pas même à se compléter, voire à se renforcer mutuellement?

— Quel est, à votre avis, le caractère dominant du style de ce passage? Réussit-il à conserver une neutralité suffisante à en garantir l'objectivité?

— L'un quelconque des protagonistes du roman manifeste-t-il sa présence dans les événements rapportés ici? Le chapitre doit-il, de ce fait, être considéré comme une simple digression? Quelle dimension donne-t-il à la fiction sur laquelle repose l'ouvrage? En quoi contribue-t-il, par là, à soutenir la thèse générale des *Misérables*?

s'échappèrent, les uns avec les cris de l'attaque, les autres
avec la pâleur de la fuite. Le grand fleuve qui couvrait les
boulevards se divisa en un clin d'œil, déborda à droite et à
10 gauche et se répandit en torrents dans deux cents rues à la fois
avec le ruissellement d'une écluse lâchée. En ce moment un
enfant déguenillé qui descendait par la rue Ménilmontant,
tenant à la main une branche de faux ébénier en fleurs qu'il
venait de cueillir sur les hauteurs de Belleville, avisa dans la
15 devanture de boutique d'une marchande de bric-à-brac un
vieux pistolet d'arçon. Il jeta sa branche fleurie sur le pavé, et
cria :

— Mère chose, je vous emprunte votre machin.

Et il se sauva avec le pistolet.

20 Deux minutes après, un flot de bourgeois épouvantés qui
s'enfuyait par la rue Amelot et la rue Basse, rencontra l'enfant
qui brandissait son pistolet et qui chantait :

> La nuit on ne voit rien,
> Le jour on voit très bien,
> 25 D'un écrit apocryphe
> Le bourgeois s'ébouriffe,
> Pratiquez la vertu,
> Tutu chapeau pointu!

C'était le petit Gavroche qui s'en allait en guerre.

30 Sur le boulevard il s'aperçut que le pistolet n'avait pas de
chien.

De qui était ce couplet qui lui servait à ponctuer sa marche,
et toutes les autres chansons que, dans l'occasion, il chantait
volontiers? nous l'ignorons. Qui sait? de lui peut-être. Gavro-
35 che d'ailleurs était au courant de tout le fredonnement populaire en circulation, et il y mêlait son propre gazouillement.
Farfadet[57] et galopin, il faisait un pot-pourri des voix de la
nature et des voix de Paris. Il combinait le répertoire des
oiseaux avec le répertoire des ateliers. Il connaissait des
40 rapins[58], tribu contiguë à la sienne. Il avait, à ce qu'il paraît,
été trois mois apprenti imprimeur. Il avait fait un jour une
commission pour monsieur Baour-Lormian[59], l'un des quarante. Gavroche était un gamin de lettres.

---

57. *Farfadet.* « Le fadet ou le farfadet [...] est un lutin fort gentil, mais un peu malicieux »
(Sand) ; **58.** *Rapin* : apprenti dans un atelier de peinture ; **59.** *Baour-Lormian* : écrivain
français (1770-1854). Outre des traductions du Tasse et d'Ossian, il a laissé un certain nombre
de poèmes et de tragédies ainsi que des satires antiromantiques.

Gavroche du reste ne se doutait pas que dans cette vilaine
45 nuit pluvieuse où il avait offert à deux mioches l'hospitalité de
son éléphant, c'était pour ses propres frères qu'il avait fait
office de providence. Ses frères le soir, son père le matin ;
voilà quelle avait été sa nuit. En quittant la rue des Ballets au
petit jour, il était retourné en hâte à l'éléphant, en avait artiste-
50 ment extrait les deux mômes, avait partagé avec eux le déjeu-
ner quelconque qu'il avait inventé, puis s'en était allé, les
confiant à cette bonne mère de la rue qui l'avait à peu près
élevé lui-même. En les quittant, il leur avait donné rendez-
vous pour le soir au même endroit, et leur avait laissé pour
55 adieu ce discours : — *Je casse une canne, autrement dit : Je
m'esbigne, ou, comme on dit à la cour, je file. Les mioches, si
vous ne retrouvez pas papa maman, revenez ici ce soir. Je
vous ficherai à souper, et je vous coucherai.* Les deux enfants,
ramassés par quelque sergent de ville et mis au dépôt, ou volés
60 par quelque saltimbanque, ou simplement égarés dans l'immense casse-tête chinois parisien, n'étaient pas revenus. Les
bas-fonds du monde social actuel sont pleins de ces traces
perdues. Gavroche ne les avait pas revus. Dix ou douze
semaines s'étaient écoulées depuis cette nuit-là. Il lui était
65 arrivé plus d'une fois de se gratter le dessus de la tête et de
dire : Où diable sont mes deux enfants ? **(42)**

II

GAVROCHE EN MARCHE

L'agitation d'un pistolet sans chien qu'on tient à la main en
pleine rue, est une telle fonction publique que Gavroche sen-

───────── **QUESTIONS** ─────────

42. En quoi réside le caractère humoristique du titre donné à ce chapitre ?
N'indique-t-il pas déjà le ton de l'ensemble de ce passage ? Comment interprétez-vous l'insertion de cette anecdote amusante dans la trame d'un récit par
ailleurs aussi sérieux ? Quelle tendance ancienne et persistante de Hugo se
manifeste ainsi ? Par quels procédés le narrateur amène-t-il le sourire sur les
lèvres de son lecteur ? De quelle façon Gavroche nous est-il présenté ? Quelle
dimension le personnage se voit-il, de ce fait, conférer ? Comment le romancier
en désigne-t-il immédiatement le côté plaisant ? Quelle interprétation proposez-
vous du parti pris d'humour manifesté ici par l'auteur ? Quels sentiments cet
humour vous paraît-il exprimer à l'égard du personnage ? Justifiez votre opinion
par quelques exemples significatifs.

tait croître sa verve à chaque pas. Il criait, parmi des bribes de
70 la Marseillaise qu'il chantait :
— Tout va bien. Je souffre beaucoup de la patte gauche, je
me suis cassé mon rhumatisme, mais je suis content, citoyens.
Les bourgeois n'ont qu'à se bien tenir, je vas leur éternuer des
couplets subversifs. Qu'est-ce que c'est que les mouchards?
75 c'est des chiens. Nom d'unch! ne manquons pas de respect
aux chiens. Avec ça que je voudrais bien en avoir un à mon
pistolet. Je viens du boulevard, mes amis, ça chauffe, ça jette
un petit bouillon, ça mijote. Il est temps d'écumer le pot. En
avant les hommes! qu'un sang impur inonde les sillons! Je
80 donne mes jours pour la patrie, je ne reverrai plus ma concu-
bine, n-i-ni, fini, oui, Nini! mais c'est égal, vive la joie! bat-
tons-nous, crebleu! j'en ai assez du despotisme.
En cet instant, le cheval d'un garde national lancier qui
passait s'étant abattu, Gavroche posa son pistolet sur le pavé,
85 et releva l'homme, puis il aida à relever le cheval. Après quoi
il ramassa son pistolet et reprit son chemin. **(43)**
Rue de Thorigny, tout était paix et silence. Cette apathie,
propre au Marais, contrastait avec la vaste rumeur environ-
nante. Quatre commères causaient sur le pas d'une porte.
90 L'Ecosse a des trios de sorcières, mais Paris a des quatuors de
commères; et le « tu seras roi » serait tout aussi lugubrement
jeté à Bonaparte dans le carrefour Baudoyer qu'à Macbeth
dans la bruyère d'Armuyr[60]. Ce serait à peu près le même
croassement.
95 Les commères de la rue de Thorigny ne s'occupaient que de
leurs affaires. C'étaient trois portières et une chiffonnière avec
sa hotte et son crochet.
Elles semblaient debout toutes les quatre aux quatre coins
de la vieillesse qui sont la caducité, la décrépitude, la ruine et
100 la tristesse.

---

60. Au début de la pièce de Shakespeare, trois sorcières qui attendaient Macbeth sur une
lande déserte lui prédisent qu'il deviendra roi.

—————— ■ QUESTIONS ——————

43. A quoi se remarque ici la persistance du parti pris d'humour relevé dans le
précédent chapitre? Comment nous est présenté *Gavroche en marche?* Qu'y
a-t-il de comique dans ses propos? dans son comportement? — Quelle interprétation proposez-vous de l'aparté de Gavroche? de sa réaction devant la chute du
garde national? Hugo n'a-t-il eu d'autre intention, en les imaginant, que de nous
amuser aux dépens de son personnage? Quelle autre explication peut-on proposer de l'inconséquence apparente du gamin?

La chiffonnière était humble. Dans ce monde en plein vent, la chiffonnière salue, la portière protège. Cela tient au coin de la borne qui est ce que veulent les concierges, gras ou maigre, selon la fantaisie de celui qui fait le tas. Il peut y avoir de la 105 bonté dans le balai.

Cette chiffonnière était une hotte reconnaissante, et elle souriait, quel sourire! aux trois portières. Il se disait des choses comme ceci :

— Ah çà, votre chat est donc toujours méchant?

110 — Mon Dieu, les chats, vous le savez, naturellement sont l'ennemi des chiens. C'est les chiens qui se plaignent.

— Et le monde aussi.

— Pourtant les puces de chat ne vont pas après le monde.

— Ce n'est pas l'embarras, les chiens, c'est dangereux. Je 115 me rappelle une année où il y avait tant de chiens qu'on a été obligé de le mettre dans les journaux. C'était du temps qu'il y avait aux Tuileries de grands moutons qui traînaient la petite voiture du roi de Rome[61]. Vous rappelez-vous le roi de Rome?

— Moi, j'aimais bien le duc de Bordeaux[62].

120 — Moi, j'ai connu Louis XVII[63]. J'aime mieux Louis XVII.

— C'est la viande qui est chère, mame Patagon!

— Ah! ne m'en parlez pas, la boucherie est une horreur. Une horreur horrible. On n'a plus que de la réjouissance.

Ici la chiffonnière intervint :

125 — Mesdames, le commerce ne va pas. Les tas d'ordures sont minables. On ne jette plus rien. On mange tout.

— Il y en a de plus pauvres que vous, la Vargoulême.

— Ah, ça c'est vrai, répondit la chiffonnière avec déférence, moi j'ai un état.

130 Il y eut une pause, et la chiffonnière, cédant à ce besoin d'étalage qui est le fond de l'homme, ajouta :

— Le matin en rentrant, j'épluche l'hotte, je fais mon treillage (probablement triage). Ça fait des tas dans ma chambre. Je mets les chiffons dans un panier, les trognons dans un 135 baquet, les linges dans mon placard, les lainages dans ma commode, les vieux papiers dans le coin de la fenêtre, les choses bonnes à manger dans mon écuelle, les morceaux de

---

61. Titre donné à sa naissance au fils de Napoléon Ier ; 62. Dernier représentant de la branche aînée des Bourbons (1820-1883) ; 63. *Louis XVII* : deuxième fils de Louis XVI, qui mourut à la prison du Temple le 8 juin 1795.

verre dans la cheminée, les savates derrière la porte, et les os sous mon lit. (**44**)

140 Gavroche, arrêté derrière, écoutait.

— Les vieilles, dit-il, qu'est-ce que vous avez donc à parler politique?

Une bordée l'assaillit, composée d'une huée quadruple.

— En voilà encore un scélérat!

145 — Qu'est-ce qu'il a donc à son moignon? Un pistolet?

— Je vous demande un peu, ce gueux de môme!

— Ça n'est pas tranquille si ça ne renverse pas l'autorité.

Gavroche, dédaigneux, se borna, pour toute représaille, à soulever le bout de son nez avec son pouce en ouvrant sa
150 main toute grande.

La chiffonnière cria :

— Méchant va-nu-pattes!

Celle qui répondait au nom de mame Patagon frappa ses deux mains l'une contre l'autre avec scandale :

155 — Il va y avoir des malheurs, c'est sûr. Le galopin d'à côté qui a une barbiche, je le voyais passer tous les matins avec une jeunesse en bonnet rose sous le bras ; aujourd'hui je l'ai vu passer, il donnait le bras à un fusil. Mame Bacheux dit qu'il y a eu la semaine passée une révolution à... à... à... — où est le
160 veau! — à Pontoise. Et puis le voyez-vous là avec son pistolet, cette horreur de polisson! Il paraît qu'il y a des canons tout plein les Célestins. Comment voulez-vous que fasse le gouvernement avec des garnements qui ne savent qu'inventer pour déranger le monde, quand on commençait à être un peu tran-
165 quille après tous les malheurs qu'il y a eu, bon Dieu Seigneur, cette pauvre reine que j'ai vue passer dans la charrette! Et tout ça va encore faire renchérir le tabac. C'est une infamie! et certainement j'irai te voir guillotiner, malfaiteur.

— Tu renifles, mon ancienne, dit Gavroche. Mouche ton
170 promontoire.

Et il passa outre.

─────── **QUESTIONS** ───────────────────────

44. Pourquoi le romancier compare-t-il le groupe de ses commères au *trio de sorcières* de Macbeth? Cette allusion à Shakespeare n'évoque-t-elle pas chez vous le souvenir de certaines des idées littéraires de l'auteur? Lesquelles? Dans quelle mesure les personnages représentés ici méritent-ils qu'on leur applique l'adjectif *grotesque* tel que le définit la *Préface de « Cromwell »?* Expliquez votre réponse. — En quoi réside le comique du passage? Cette scène caricaturale n'a-t-elle d'autre ambition que de distraire le lecteur? A quelle intention de l'auteur peut-elle encore répondre?

Quand il fut rue Pavée, la chiffonnière lui revint à l'esprit et il eut ce soliloque :

— Tu as tort d'insulter les révolutionnaires, mère Coin-de-
175 la-Borne. Ce pistolet-là, c'est dans ton intérêt. C'est pour que tu aies dans ta hotte plus de choses bonnes à manger.

Tout à coup il entendit du bruit derrière lui : c'était la portière Patagon qui l'avait suivi, et qui, de loin, lui montrait le poing en criant :

180 — Tu n'est qu'un bâtard!

— Ça, dit Gavroche, je m'en fiche d'une manière profonde.

Peu après, il passait devant l'hôtel Lamoignon. Là il poussa cet appel :

— En route pour la bataille!

185 Et il fut pris d'un accès de mélancolie. Il regarda son pistolet d'un air de reproche qui semblait essayer de l'attendrir :

— Je pars, lui dit-il, mais toi tu ne pars pas.

Un chien peut distraire d'un autre. Un caniche très maigre vint à passer. Gavroche s'apitoya.

190 — Mon pauvre toutou, lui dit-il, tu as donc avalé un tonneau qu'on te voit tous les cerceaux.

Puis il se dirigea vers l'Orme Saint-Gervais. (**45**) (**46**)

[M. Mabeuf rejoint l'insurrection.]

─────── ■ QUESTIONS ───────

45. Pourquoi Hugo a-t-il ménagé cette rencontre entre Gavroche et le groupe des commères? Sur quelle boutade le gamin aborde-t-il le quatuor? Quelle signification laisse-t-elle percer sous cet aspect plaisant? Une autre remarque du jeune garçon ne confirme-t-elle pas cette interprétation? Quelle pertinence manifeste-t-elle à travers son apparente naïveté? — Comment expliquez-vous la réaction des quatre femmes à la plaisanterie de Gavroche? En quoi est-elle caricaturale?

46. Sur l'ensemble du chapitre ii. — Hugo exerce-t-il sa verve moqueuse de la même manière sur ses différents personnages? Ne se montre-t-il pas plus cruel à l'égard des commères qu'à celui de Gavroche? Comment expliquez-vous cette observation? En quoi peut-elle vous renseigner sur les sympathies ou les antipathies de l'auteur?

— Quels sont les principaux points sur lesquels porte la raillerie de l'écrivain à l'encontre des quatre femmes? Sous quel jour nous présente-t-il leurs préoccupations? leur autosatisfaction? leurs opinions politiques? Que concluez-vous de ces différentes remarques? — Où et comment Gavroche exprime-t-il principalement ses idées? De quelle nature sont-elles? A quoi reconnaissez-vous qu'elles bénéficient de la bienveillance du romancier? — La caricature à laquelle Hugo se livre dans ce chapitre n'a-t-elle d'autre but que celui de nous amuser? Quelle intention peut-elle également manifester? En quoi se révèle-t-elle significative des réactions de certaines couches de la population devant les troubles qui viennent d'être évoqués?

LIVRE DOUZIÈME

CORINTHE

[Enjolras et les Amis de l'A B C édifient une barricade rue de la Chanvrerie, devant le cabaret Corinthe, que tient la veuve Hucheloup. Javert, qui s'est infiltré parmi les insurgés, est reconnu par Gavroche et fait prisonnier.]

LIVRE TREIZIÈME

MARIUS ENTRE DANS L'OMBRE

[Marius, qui, ayant perdu Cosette, désire mourir, gagne la barricade de la rue de la Chanvrerie.]

LIVRE QUATORZIÈME

LES GRANDEURS DU DÉSESPOIR

[La troupe attaque les insurgés. La première décharge abat le drapeau. Alors que tous hésitent à l'aller relever, M. Mabeuf monte sur la barricade. Il est tué par la seconde salve. « Voilà maintenant notre drapeau », déclare Enjolras en désignant l'habit sanglant du vieillard.]

III

GAVROCHE AURAIT MIEUX FAIT D'ACCEPTER
LA CARABINE D'ENJOLRAS

On jeta sur le père Mabeuf un long châle noir de la veuve Hucheloup. Six hommes firent de leurs fusils une civière, on y posa le cadavre, et on le porta, têtes nues, avec une lenteur solennelle, sur la grande table de la salle basse.

5   Ces hommes, tout entiers à la chose grave et sacrée qu'ils faisaient, ne songeaient plus à la situation périlleuse où ils étaient.

Quand le cadavre passa près de Javert toujours impassible, Enjolras dit à l'espion :

10 — Toi! tout à l'heure.

Pendant ce temps-là, le petit Gavroche, qui seul n'avait pas quitté son poste et était resté en observation, croyait voir des hommes s'approcher à pas de loup de la barricade. Tout à coup il cria :

15 — Méfiez-vous!

Courfeyrac, Enjolras, Jean Prouvaire, Combeferre, Joly, Bahorel, Bossuet, tous sortirent en tumulte du cabaret. Il n'était presque déjà plus temps. On apercevait une étincelante épaisseur de baïonnettes ondulant au-dessus de la barricade. 20 Des gardes municipaux de haute taille, pénétraient, les uns en enjambant l'omnibus, les autres par la coupure, poussant devant eux le gamin qui reculait, mais ne fuyait pas.

L'instant était critique. C'était une première redoutable minute de l'inondation, quand le fleuve se soulève au niveau 25 de la levée et que l'eau commence à s'infiltrer par les fissures de la digue. Une seconde encore, et la barricade était prise.

Bahorel s'élança sur le premier garde municipal qui entrait et le tua à bout portant d'un coup de carabine; le second tua Bahorel d'un coup de baïonnette. Un autre avait déjà terrassé 30 Courfeyrac qui criait : A moi! Le plus grand de tous, une espèce de colosse, marchait sur Gavroche la baïonnette en avant. Le gamin prit dans ses petits bras l'énorme fusil de Javert, coucha résolument en joue le géant, et lâcha son coup. Rien ne partit. Javert n'avait pas chargé son fusil. Le garde 35 municipal éclata de rire et leva la baïonnette sur l'enfant.

Avant que la baïonnette eût touché Gavroche, le fusil échappait des mains du soldat, une balle avait frappé le garde municipal au milieu du front et il tombait sur le dos. Une seconde balle frappait en pleine poitrine l'autre garde qui avait 40 assailli Courfeyrac, et le jetait sur le pavé.

C'était Marius qui venait d'entrer dans la barricade. (47)

——————— **QUESTIONS** ———————————

47. Quelle est essentiellement l'utilité de la péripétie racontée dans ce court chapitre? En quoi cette entrée de Marius dans la barricade est-elle importante? Quelle place assure-t-elle d'emblée au jeune homme parmi les insurgés? Comment cette arrivée est-elle présentée au lecteur? A quoi reconnaissez-vous le goût de l'auteur pour l'inattendu? A quel type de littérature rattachez-vous le procédé utilisé? — Quel est, outre Marius, le personnage central de ce passage? Le titre ne vous en donne-t-il pas confirmation? Quel risque court le petit Gavroche? Qui en est indirectement responsable? Comment est-il sauvé?

IV

LE BARIL DE POUDRE

Marius, toujours caché dans le coude de la rue Mondétour,
avait assisté à la première phase du combat, irrésolu et frissonnant[64]. Cependant il n'avait pu résister longtemps à ce vertige
45 mystérieux et souverain qu'on pourrait nommer l'appel de
l'abîme. Devant l'imminence du péril, devant la mort de
M. Mabeuf, cette funèbre énigme, devant Bahorel tué, Courfeyrac criant : A moi! cet enfant menacé, ses amis à secourir
ou à venger, toute hésitation s'était évanouie, et il s'était rué
50 dans la mêlée ses deux pistolets à la main. Du premier coup, il
avait sauvé Gavroche et du second délivré Courfeyrac.

Aux coups de feu, aux cris des gardes frappés, les assaillants avaient gravi le retranchement, sur le sommet duquel on
voyait maintenant se dresser plus d'à mi-corps, et en foule, des
55 gardes municipaux, des soldats de la ligne, des gardes nationaux de la banlieue, le fusil au poing. Ils couvraient déjà plus
des deux tiers du barrage, mais ils ne sautaient pas dans
l'enceinte, comme s'ils balançaient, craignant quelque piège.
Ils regardaient dans la barricade obscure comme on regarde-
60 rait dans une tanière de lions. La lueur de la torche n'éclairait
que les baïonnettes, les bonnets à poil et le haut des visages
inquiets et irrités.

Marius n'avait plus d'armes, il avait jeté ses pistolets
déchargés, mais il avait aperçu le baril de poudre dans la salle
65 basse près de la porte.

Comme il se tournait à demi, regardant de ce côté, un soldat
le coucha en joue. Au moment où le soldat ajustait Marius,
une main se posa sur le bout du canon du fusil, et le boucha.
C'était quelqu'un qui s'était élancé, le jeune ouvrier au panta-
70 lon de velours[65]. Le coup partit, traversa la main, et peut-être
aussi l'ouvrier, car il tomba, mais la balle n'atteignit pas
Marius. Tout cela dans la fumée, plutôt entrevu que vu.
Marius, qui entrait dans la salle basse, s'en aperçut à peine.
Cependant il avait confusément vu ce canon de fusil dirigé sur

---

64. Marius s'est longuement interrogé sur la justice de la cause embrassée par les insurgés
(voir IV, XIII, III) ; 65. Il s'agit d'un jeune inconnu qui, après avoir vainement attendu Marius
chez Courfeyrac, s'est joint, sans qu'on sache trop pourquoi, à la troupe des Amis de l'A B C
(voir IV, XI, VI).

75 lui et cette main qui l'avait bouché, et il avait entendu le coup.
Mais dans des minutes comme celle-là, les choses qu'on voit
vacillent et se précipitent, et l'on ne s'arrête à rien. On se sent
obscurément poussé vers plus d'ombre encore, et tout est
nuage. **(48)**

80 Les insurgés, surpris, mais non effrayés, s'étaient ralliés.
Enjolras avait crié : Attendez! ne tirez pas au hasard! Dans la
première confusion, en effet, ils pouvaient se blesser les uns
les autres. La plupart étaient montés à la fenêtre du premier
étage et aux mansardes d'où ils dominaient les assaillants. Les
85 plus déterminés, avec Enjolras, Courfeyrac, Jean Prouvaire et
Combeferre, s'étaient fièrement adossés aux maisons du fond,
à découvert et faisant face aux rangées de soldats et de gardes
qui couronnaient la barricade.

Tout cela s'accomplit sans précipitation, avec cette gravité
90 étrange et menaçante qui précède les mêlées. Des deux parts
on se couchait en joue, à bout portant ; on était si près, qu'on
pouvait se parler à portée de voix. Quand on fut à ce point où
l'étincelle va jaillir, un officier en hausse-col et à grosses
épaulettes étendit son épée et dit :

95 — Bas les armes!
— Feu! dit Enjolras.

Les deux détonations partirent en même temps, et tout
disparut dans la fumée.

Fumée âcre et étouffante où se traînaient, avec des gémisse-
100 ments faibles et sourds, des mourants et des blessés.

Quand la fumée se dissipa, on vit des deux côtés les combattants, éclaircis, mais toujours aux mêmes places, qui
rechargeaient les armes en silence.

Tout à coup, on entendit une voix tonnante qui criait :

———— **QUESTIONS** ————

48. Comment Hugo explique-t-il l'intervention soudaine de Marius? Vous
donne-t-il l'impression de la blâmer? L'approuve-t-il malgré tout totalement? A
quels détails vous en rendez-vous compte? En quoi l'attitude du jeune homme
sur la barricade différera-t-elle de celle de Jean Valjean? Quelle conclusion en
tirez-vous? — Pourquoi les gardes nationaux hésitent-ils avant de passer à la
seconde phase de l'assaut? Justifiez ce point de vue. — Quelle idée des insurgés cette attitude concourt-elle
à nous donner? En quel détail trouvez-vous confirmation de votre interpréta-
tion? Le narrateur n'a-t-il pu également trouver dans ce tableau purement
statique un moyen de mettre en relief le caractère mouvementé des événements
antérieurs et postérieurs? Justifiez ce point de vue. — Quelle est l'importance de
l'épisode du jeune ouvrier? Est-il vraisemblable qu'il soit *plutôt entrevu que vu*
de Marius? En quoi consiste, ici encore, l'art du romancier?

« L'atome fraternise avec l'ouragan » (p. 64).

Gravure de F. Lix. Paris, Bibliothèque nationale.

105   — Allez-vous-en, ou je fais sauter la barricade!

Tous se retournèrent du côté d'où venait la voix.

Marius était entré dans la salle basse, et y avait pris le baril
de poudre, puis il avait profité de la fumée et de l'espèce de
brouillard obscur qui emplissait l'enceinte retranchée, pour se
110 glisser le long de la barricade jusqu'à cette cage de pavés où
était fixée la torche. En arracher la torche, y mettre le baril de
poudre, pousser la pile de pavés sur le baril, qui s'était sur-le-
champ défoncé, avec une sorte d'obéissance terrible, tout cela
avait été pour Marius le temps de se baisser et de se relever;
115 et maintenant tous, gardes nationaux, gardes municipaux, officiers, soldats, pelotonnés, à l'autre extrémité de la barricade,
le regardaient avec stupeur le pied sur les pavés, la torche à la
main, son fier visage éclairé par une résolution fatale, penchant la flamme de la torche vers ce monceau redoutable où
120 l'on distinguait le baril de poudre brisé, et poussant ce cri
terrifiant :

— Allez-vous-en, ou je fais sauter la barricade!

Marius sur cette barricade après l'octogénaire, c'était la
vision de la jeune révolution après l'apparition de la vieille.

125   — Sauter la barricade! dit un sergent, et toi aussi!

Marius répondit :

— Et moi aussi.

Et il approcha la torche du baril de poudre.

Mais il n'y avait déjà plus personne sur le barrage. Les
130 assaillants, laissant leurs morts et leurs blessés, refluaient
pêle-mêle et en désordre vers l'extrémité de la rue et s'y
perdaient de nouveau dans la nuit. Ce fut un sauve-qui-peut.

La barricade était dégagée. (49) (50)

──────── **QUESTIONS** ────────

49. Pourquoi Hugo a-t-il, selon vous, imaginé ce face à face immobile entre
soldats et insurgés? Hugo manifeste-t-il des sympathies pour l'un ou l'autre
camp? Par quelles raisons expliquez-vous son abstention? — Qu'est-ce qui
donne tout son relief à la seconde intervention de Marius? Pourquoi l'éclate-
ment du coup de théâtre précède-t-il la relation de ses préparatifs? Quelle
fonction lui est ainsi conférée? — Caractérisez les rares propos échangés par les
belligérants. Qu'en indique le laconisme? Quelle impression tendent-ils à nous
laisser du combat? — Quel élément symbolique l'auteur introduit-il ici? Dans
quelle intention le fait-il? Marius et M. Mabeuf vous paraissent-ils représentatifs
des principes qu'ils sont censés figurer?

Questions 50, v. p. 77.

[Eponine a sauvé la vie de Marius sur la barricade. Avant de mourir, elle lui remet une lettre. « Nous serons ce soir rue de l'Homme-Armé, n° 7. Dans huit jours nous serons en Angleterre », disait, dans sa lettre, Cosette à Marius. « Notre mariage était impossible, lui écrit le jeune homme. Je meurs. Je t'aime. Quand tu liras ceci, mon âme sera près de toi, et te sourira. » Gavroche est chargé de porter cette réponse.]

LIVRE QUINZIÈME

LA RUE DE L'HOMME-ARMÉ

[Jean Valjean, qui a, par hasard, surpris le secret de Cosette, est dans un accablement profond. Gavroche lui remet la lettre de Marius. Tandis que le gamin regagne la barricade, le vieil homme, ayant revêtu son uniforme de la garde nationale, prend, lui aussi, la direction des Halles.]

──────── **QUESTIONS** ────────

50. Sur l'ensemble du chapitre IV. — En quoi ce chapitre complète-t-il le précédent? A quoi s'était, jusqu'à présent, bornée l'intervention de Marius? Comment va-t-elle prendre ici un caractère plus achevé? Montrez qu'elle assure en outre une place prépondérante au jeune homme parmi les Amis de l'A B C.

— Quelle idée vous faites-vous des dispositions d'esprit de Marius? De quelle nature se révèle son héroïsme? Qu'a-t-il de désespéré? A quoi le remarquez-vous?

— La fin de ce chapitre ne laisse-t-elle pas le lecteur sur une attente? Laquelle? Quelle est la conséquence de ce fait? Vous apprécierez l'art avec lequel Hugo prépare et relie les différents épisodes de son roman.

CINQUIÈME PARTIE

JEAN VALJEAN

LIVRE PREMIER

LA GUERRE ENTRE QUATRE MURS

[Enjolras, de retour d'une reconnaissance, annonce aux insurgés que leur mouvement n'est plus suivi : le peuple les abandonne. Après un instant de consternation, une voix s'élève du petit groupe, qui crie : « Citoyens, faisons la protestation des cadavres. Montrons que, si le peuple abandonne les républicains, les républicains n'abandonnent pas le peuple. »]

IV

CINQ DE MOINS, UN DE PLUS

Après que l'homme quelconque, qui décrétait « la protestation des cadavres », eut parlé et donné la formule de l'âme commune, de toutes les bouches sortit un cri étrangement satisfait et terrible, funèbre par le sens et triomphal par l'ac-
5 cent :
— Vive la mort! Restons ici tous.
— Pourquoi tous? dit Enjolras.
— Tous! tous!
Enjolras reprit :
10 — La position est bonne, la barricade est belle. Trente hommes suffisent. Pourquoi en sacrifier quarante?
Ils répliquèrent :
— Parce que pas un ne voudra s'en aller.
— Citoyens, cria Enjolras, et il y avait dans sa voix une
15 vibration presque irritée, la république n'est pas assez riche en hommes pour faire des dépenses inutiles. La gloriole est un gaspillage. Si, pour quelques-uns, le devoir est de s'en aller, ce devoir-là doit être fait comme un autre.
Enjolras, l'homme principe, avait sur ses coreligionnaires
20 cette sorte de toute-puissance qui se dégage de l'absolu.

Cependant, quelle que fût cette omnipotence, on murmura.

Chef jusque dans le bout des ongles, Enjolras, voyant qu'on murmurait, insista. Il reprit avec hauteur :

— Que ceux qui craignent de n'être plus que trente, le 25 disent.

Les murmures redoublèrent.

— D'ailleurs, observa une voix dans un groupe, s'en aller, c'est facile à dire. La barricade est cernée.

— Pas du côté des Halles, dit Enjolras. La rue Mondétour 30 est libre, et par la rue des Prêcheurs on peut gagner le marché des Innocents.

— Et là, reprit une autre voix du groupe, on sera pris. On tombera dans quelque grand-garde de la ligne ou de la banlieue. Ils verront passer un homme en blouse et en casquette. 35 D'où viens-tu, toi? serais-tu pas de la barricade? Et on vous regarde les mains. Tu sens la poudre. Fusillé.

Enjolras, sans répondre, toucha l'épaule de Combeferre, et tous deux entrèrent dans la salle basse.

Ils ressortirent un moment après. Enjolras tenait dans ses 40 deux mains étendues les quatre uniformes qu'il avait fait réserver, Combeferre le suivait portant les buffleteries[66] et les shakos[67].

— Avec cet uniforme, dit Enjolras, on se mêle aux rangs et l'on s'échappe. Voici toujours pour quatre.

45 Et il jeta sur le sol dépavé les quatre uniformes. **(51)**

Aucun ébranlement ne se faisait dans le stoïque auditoire. Combeferre prit la parole.

— Allons, dit-il, il faut avoir un peu de pitié. Savez-vous de quoi il est question ici? Il est question des femmes. Voyons. Y 50 a-t-il des femmes, oui ou non? y a-t-il des enfants, oui ou non? y a-t-il, oui ou non, des mères, qui poussent des berceaux du

---

66. *Buffleterie :* partie de l'équipement destinée à soutenir les armes ; **67.** *Shako :* coiffure militaire.

─────── **QUESTIONS** ───────────────────────────

51. Quelle qualités de chef reconnaissez-vous à Enjolras? A quoi les remarquez-vous? Pourquoi l'auteur en souligne-t-il précisément ici les manifestations? Quelle importance particulière la présente situation leur confère-t-elle? — Sur quel paradoxe repose l'argumentation développée, en filigrane, dans ce passage? En quoi consiste habituellement l'héroïsme? Est-ce le cas ici? Pour quelle raison? Sur quel aspect de la lutte révolutionnaire Hugo veut-il attirer l'attention du lecteur? Quelle signification générale convient-il, selon vous, de donner à la scène rapportée ici?

pied et qui ont des tas de petits autour d'elles? Que celui de
vous qui n'a jamais vu le sein d'une nourrice lève la main. Ah!
vous voulez vous faire tuer, je le veux aussi, moi qui vous
55 parle, mais je ne veux pas sentir des fantômes de femmes qui
se tordent les bras autour de moi. Mourez, soit, mais ne faites
pas mourir. Des suicides comme celui qui va s'accomplir ici,
sont sublimes, mais le suicide est étroit, et ne veut pas d'extension ; et dès qu'il touche à vos proches, le suicide s'appelle
60 meurtre. Songez aux petites têtes blondes, et songez aux cheveux blancs. Ecoutez, tout à l'heure, Enjolras, il vient de me le
dire, a vu au coin de la rue du Cygne une croisée éclairée, une
chandelle à une pauvre fenêtre, au cinquième, et sur la vitre
l'ombre toute branlante d'une tête de vieille femme qui avait
65 l'air d'avoir passé la nuit et d'attendre. C'est peut-être la mère
de l'un de vous. Eh bien, qu'il s'en aille, celui-là, et qu'il se
dépêche d'aller dire à sa mère : Mère, me voilà! Qu'il soit
tranquille, on fera la besogne ici tout de même. Quand on
soutient ses proches de son travail, on n'a plus le droit de se
70 sacrifier. C'est déserter la famille, cela. Et ceux qui ont des
filles, et ceux qui ont des sœurs! Y pensez-vous? Vous vous
faites tuer, vous voilà morts, c'est bon, et demain? Des jeunes
filles qui n'ont pas de pain, cela est terrible. L'homme mendie,
la femme vend. Ah! ces charmants êtres si gracieux et si doux
75 qui ont des bonnets de fleurs, qui emplissent la maison de
chasteté, qui chantent, qui jasent, qui sont comme un parfum
vivant, qui prouvent l'existence des anges dans le ciel par la
pureté des vierges sur la terre, cette Jeanne, cette Lise, cette
Mimi, ces adorables et honnêtes créatures qui sont votre béné-
80 diction et votre orgueil, ah, mon Dieu, elles vont avoir faim!
Que voulez-vous que je vous dise? Il y a un marché de chair
humaine; et ce n'est pas avec vos mains d'ombres, frémis-
santes autour d'elles, que vous les empêcherez d'y entrer!
Songez à la rue, songez au pavé couvert de passants, songez
85 aux boutiques devant lesquelles des femmes vont et viennent
décolletées et dans la boue. Ces femmes-là aussi ont été pures.
Songez à vos sœurs, ceux qui en ont. La misère, la prostitu-
tion, les sergents de ville, Saint-Lazare[68], voilà où vont tomber
ces délicates belles filles, ces fragiles merveilles de pudeur, de
90 gentillesse et de beauté, plus fraîches que les lilas du mois de

---

68. *Saint-Lazare :* ancienne prison de Paris, détruite en 1940. André Chénier y fut incar-
céré. Après la Révolution, elle fut réservée à la détention des femmes.

mai. Ah! vous vous êtes fait tuer! ah! vous n'êtes plus là! C'est
bien; vous avez voulu soustraire le peuple à la royauté, vous
donnez vos filles à la police. Amis, prenez garde, ayez de la
compassion. Les femmes, les malheureuses femmes, on n'a
95 pas l'habitude d'y songer beaucoup. On se fie sur ce que les
femmes n'ont pas reçu l'éducation des hommes, on les empêche de lire, on les empêche de penser, on les empêche de
s'occuper de politique; les empêcherez-vous d'aller ce soir à la
morgue et de reconnaître vos cadavres? Voyons, il faut que
100 ceux qui ont des familles soient bons enfants et nous donnent
une poignée de main et s'en aillent, et nous laissent faire ici
l'affaire tout seuls. Je sais bien qu'il faut du courage pour s'en
aller, c'est difficile; mais plus c'est difficile, plus c'est méri-
toire. On dit : J'ai un fusil, je suis à la barricade. Tant pis, j'y
105 reste. Tant pis, c'est bientôt dit. Mes amis, il y a un lendemain; vous n'y serez pas à ce lendemain, mais vos familles y
seront. Et que de souffrances! Tenez, un joli enfant bien
portant qui a des joues comme une pomme, qui babille, qui
jacasse, qui jabote, qui rit, qu'on sent frais sous le baiser,
110 savez-vous ce que cela devient quand c'est abandonné? J'en ai
vu un, tout petit, haut comme cela. Son père était mort. De
pauvres gens l'avaient recueilli par charité, mais ils n'avaient
pas de pain pour eux-mêmes. L'enfant avait toujours faim.
C'était l'hiver. Il ne pleurait pas. On le voyait aller près du
115 poêle où il n'y avait jamais de feu et dont le tuyau, vous savez,
était mastiqué avec de la terre jaune. L'enfant détachait avec
ses petits doigts un peu de cette terre et la mangeait. Il avait la
respiration rauque, la face livide, les jambes molles, le ventre
gros. Il ne disait rien. On lui parlait, il ne répondait pas. Il est
120 mort. On l'a apporté mourir à l'hospice Necker[69], où je l'ai vu.
J'étais interne à cet hospice-là. Maintenant, s'il y a des pères
parmi vous, des pères qui ont pour bonheur de se promener le
dimanche en tenant dans leur bonne main robuste la petite
main de leur enfant, que chacun de ces pères se figure que cet
125 enfant-là est le sien. Ce pauvre môme, je me le rappelle, il me
semble que je le vois, quand il a été nu sur la table d'anatomie,
ses côtes faisaient saillie sous sa peau comme les fosses sous
l'herbe d'un cimetière. On lui a trouvé une espèce de boue
dans l'estomac. Il avait de la cendre dans les dents. Allons,

---

69. Fondé en 1776 par Mme Necker, dont il prit le nom en 1820.

130 tâtons-nous en conscience et prenons conseil de notre cœur.
Les statistiques constatent que la mortalité des enfants aban-
donnés est de cinquante-cinq pour cent. Je le répète, il s'agit
des femmes, il s'agit des mères, il s'agit des jeunes filles, il
s'agit des mioches. Est-ce qu'on vous parle de vous? On sait
135 bien ce que vous êtes ; on sait bien que vous êtes tous des
braves, parbleu! on sait bien que vous avez tous dans l'âme la
joie et la gloire de donner votre vie pour la grande cause ; on
sait bien que vous vous sentez élus pour mourir utilement et
magnifiquement, et que chacun de vous tient à sa part du
140 triomphe. A la bonne heure. Mais vous n'êtes pas seuls en ce
monde. Il y a d'autres êtres auxquels il faut penser. Il ne faut
pas être égoïstes. (52)

Tous baissèrent la tête d'un air sombre.

Etranges contradictions du cœur humain à ses moments les
145 plus sublimes! Combeferre, qui parlait ainsi, n'était pas orphe-
lin. Il se souvenait des mères des autres, et il oubliait la
sienne. Il allait se faire tuer. Il était « égoïste ».

Marius, à jeun, fiévreux, successivement sorti de toutes les
espérances, échoué dans la douleur, le plus sombre des nau-
150 frages, saturé d'émotions violentes et sentant la fin venir,
s'était de plus en plus enfoncé dans cette stupeur visionnaire
qui précède toujours l'heure fatale volontairement acceptée.

Un physiologiste eût pu étudier sur lui les symptômes crois-
sants de cette absorption fébrile connue et classée par la

─────── **QUESTIONS** ───────────────────

52. Sur quel thème principal Combeferre fait-il reposer son argumentation?
N'était-il pas possible de le développer autrement que sous la forme d'un
paradoxe? Pourquoi l'orateur a-t-il néanmoins retenu ce procédé? En quoi a-t-il
ainsi rendu sa pensée plus directement accessible à ceux qu'il voulait convain-
cre? — A quel sentiment Combeferre fait-il appel chez ses auditeurs? Par quel
procédé cherche-t-il à le faire naître? Quels moyens stylistiques emploie-t-il?
Qu'y a-t-il d'oratoire dans son discours? Où en réside le romantisme? — Quel
est, dans ses grandes lignes, le plan de ce long paragraphe? Ne fait-il pas
apparaître sous une apparence confuse une organisation rigoureuse? Selon quels
enchaînements les différentes parties de l'argumentation se rattachent-elles entre
elles? Comment l'orateur tire-t-il les conséquences des divers exemples qu'il
évoque? De quelle manière les met-il en relief? Quelle similitude remarquez-
vous entre la première et la dernière phrase de ce discours? Qu'en concluez-
vous? — La thèse soutenue par Combeferre ne dépasse-t-elle pas assez largement les limites de la situation à laquelle elle s'applique ici? Dans quelle mesure
rejoint-elle le problème général soulevé par *les Misérables?* Quels sont, parmi
les exemples cités, ceux qui pourraient concerner certains personnages du
roman? En vous appuyant sur ces observations, vous montrerez que ce passage
est un rappel de l'un des thèmes principaux de l'ouvrage.

155 science, et qui est à la souffrance ce que la volupté est au
plaisir. Le désespoir aussi a son extase. Marius en était là. Il
assistait à tout comme du dehors; ainsi que nous l'avons dit,
les choses qui se passaient devant lui, lui semblaient loin-
taines; il distinguait l'ensemble, mais n'apercevait point les
160 détails. Il voyait les allants et venants à travers un flamboiement. Il entendait les voix parler comme au fond d'un abîme.

Cependant ceci l'émut. Il y avait dans cette scène une
pointe qui perça jusqu'à lui, et qui le réveilla. Il n'avait plus
qu'une idée, mourir, et il ne voulait pas s'en distraire; mais il
165 songea, dans son somnambulisme funèbre, qu'en se perdant, il
n'est pas défendu de sauver quelqu'un.

Il éleva la voix :

— Enjolras et Combeferre ont raison, dit-il; pas de sacrifice
inutile. Je me joins à eux, et il faut se hâter. Combeferre vous
170 a dit les choses décisives. Il y en a parmi vous qui ont des
familles, des mères, des sœurs, des femmes, des enfants. Que
ceux-là sortent des rangs.

Personne ne bougea.

— Les hommes mariés et les soutiens de famille hors des
175 rangs! répéta Marius.

Son autorité était grande. Enjolras était bien le chef de la
barricade, mais Marius en était le sauveur.

— Je l'ordonne, cria Enjolras.

Je vous en prie, dit Marius. (53)

180 Alors, remués par la parole de Combeferre, ébranlés par
l'ordre d'Enjolras, émus par la prière de Marius, ces hommes
héroïques commencèrent à se dénoncer les uns les autres. —
C'est vrai, disait un jeune homme à un homme fait. Tu es père
de famille. Va-t'en. — C'est plutôt toi, répondait l'homme, tu
185 as tes deux sœurs que tu nourris. — Et une lutte inouïe
éclatait. C'était à qui ne se laisserait pas mettre à la porte du
tombeau.

───────── **QUESTIONS** ─────────

53. Pourquoi le romancier a-t-il voulu que Combeferre se montre, selon son
expression, *égoïste?* Que peut-il vouloir nous suggérer au moyen de cette
contradiction entre la théorie et l'action? Ne dénonce-t-il pas, par là, le caractère
relatif de la thèse soutenue? Expliquez votre réponse. — Dans quel état d'esprit
Marius se trouve-t-il à présent? Quelle est la phrase qui en rend, selon vous, le
mieux compte? Quelle question soulève sa présence sur la barricade? Qu'y a-t-il
de romantique dans son comportement et sa personnalité? — L'intervention de
Marius est-elle indispensable? Pourquoi a-t-elle été imaginée par Hugo? Quel
événement prépare-t-elle?

— Dépêchons, dit Courfeyrac, dans un quart d'heure il ne serait plus temps.

190 — Citoyens, poursuivit Enjolras, c'est ici la république, et le suffrage universel règne. Désignez vous-mêmes ceux qui doivent s'en aller.

On obéit. Au bout de quelques minutes cinq étaient unanimement désignés et sortaient des rangs.

195 — Ils sont cinq! s'écria Marius.

Il n'y avait que quatre uniformes.

— Eh bien, reprirent les cinq, il faut qu'un reste.

Et ce fut à qui resterait, et à qui trouverait aux autres des raisons de ne pas rester. La généreuse querelle recommença.

200 — Toi, tu as une femme qui t'aime. — Toi, tu as ta vieille mère. — Toi, tu n'as plus ni père ni mère, qu'est-ce que tes trois petits frères vont devenir? — Toi, tu es père de cinq enfants. — Toi, tu as le droit de vivre, tu as dix-sept ans, c'est trop tôt.

205 Ces grandes barricades révolutionnaires étaient des rendez-vous d'héroïsmes. L'invraisemblable y était simple. Ces hommes ne s'étonnaient pas les uns les autres.

— Faites vite, répétait Courfeyrac.

On cria des groupes à Marius :

210 — Désignez, vous, celui qui doit rester.

— Oui, dirent les cinq, choisissez. Nous vous obéirons.

Marius ne croyait plus à une émotion possible. Cependant à cette idée : choisir un homme pour la mort, tout son sang reflua vers son cœur. Il eût pâli, s'il eût pu pâlir encore.

215 Il s'avança vers les cinq qui lui souriaient, et chacun, l'œil plein de cette grande flamme qu'on voit au fond de l'histoire sur les Thermopyles[70], lui criait :

— Moi! moi! moi!

Et Marius, stupidement, les compta; ils étaient toujours 220 cinq! Puis son regard s'abaissa sur les quatre uniformes.

En cet instant, un cinquième uniforme tomba, comme du ciel, sur les quatre autres.

Le cinquième homme était sauvé.

Marius leva les yeux et reconnut M. Fauchelevent.

225 Jean Valjean venait d'entrer dans la barricade. (54) (55)

---

70. *Thermopyles* : voir note 8.

— QUESTIONS —

Questions 54 et 55, v. p. 85.

[Par deux fois, Jean Valjean tire la barricade d'une situation critique. Il intrigue les assiégés par son « coup de fusil qui ne manque rien et qui ne tue personne ». Cependant, les munitions commencent à faire défaut.]

XV

GAVROCHE DEHORS

Courfeyrac tout à coup aperçut quelqu'un au bas de la barricade, dehors, dans la rue, sous les balles.

Gavroche avait pris un panier à bouteilles dans le cabaret, était sorti par la coupure, et était paisiblement occupé à vider 230 dans son panier les gibernes pleines de cartouches des gardes nationaux tués sur le talus de la redoute.

— Qu'est-ce que tu fais là? dit Courfeyrac.

Gavroche leva le nez :

— Citoyen, j'emplis mon panier.

235 — Tu ne vois donc pas la mitraille?

Gavroche répondit :

— Eh bien, il pleut. Après?

Courfeyrac cria :

―――― QUESTIONS ――――

54. Comment le romancier imagine-t-il de dénouer la situation? En quoi la solution qu'il adopte grandit elle encore les insurgés? Les principes jusqu'à présent défendus sont-ils respectés? L'héroïsme de l'un quelconque des combattants se trouve-t-il le moins du monde amoindri? — Ne serait-il pas logique que le choix de l'homme qui doit rester incombe à Enjolras? Pourquoi Hugo a-t-il voulu que la responsabilité en revienne à Marius? Comment se manifeste le désarroi du jeune homme devant cette situation inattendue? Comment le narrateur nous présente-t-il le coup de théâtre sur lequel se termine cet extrait? Pour quelle raison n'en fournit-il l'explication qu'après coup? En quoi la brièveté de la relation qui en est donnée concourt-elle à sa mise en relief?

55. SUR L'ENSEMBLE DU CHAPITRE IV. — Quelle signification attribuez-vous au geste de Jean Valjean? S'agit-il simplement de l'un des actes de dévouement auxquels le héros nous a habitués? En quoi symbolise-t-il un revirement de son attitude à l'égard du jeune homme? Quel événement postérieur y peut-on déjà voir implicitement annoncé? Ne laisse-t-il pas même, au-delà, supposer un heureux dénouement des amours de Marius et de Cosette? — En quoi réside la triple importance de ce chapitre? Pourquoi est-il déterminant quant à l'avenir des protagonistes du roman? Dans quelle intention souligne-t-il, avant leur défaite imminente, l'héroïsme des insurgés? Etait-il nécessaire de rappeler par l'intermédiaire d'une digression le thème central de l'ouvrage? Vous justifierez vos différentes réponses.

— Rentre !

240   — Tout à l'heure, fit Gavroche.

Et, d'un bond, il s'enfonça dans la rue.

On se souvient que la compagnie Fannicot[71], en se retirant, avait laissé derrière elle une traînée de cadavres.

Une vingtaine de morts gisaient çà et là dans toute la lon-
245 gueur de la rue sur le pavé. Une vingtaine de gibernes pour Gavroche. Une provision de cartouches pour la barricade.

La fumée était dans la rue comme un brouillard. Quiconque a vu un nuage tombé dans une gorge de montagnes entre deux escarpements à pic, peut se figurer cette fumée resserrée et
250 comme épaissie par deux sombres lignes de hautes maisons. Elle montait lentement et se renouvelait sans cesse ; de là un obscurcissement graduel qui blêmissait même le plein jour. C'est à peine si, d'un bout à l'autre de la rue, pourtant fort courte, les combattants s'apercevaient.

255   Cet obscurcissement, probablement voulu et calculé par les chefs qui devaient diriger l'assaut de la barricade, fut utile à Gavroche.

Sous les plis de ce voile de fumée et grâce à sa petitesse, il put s'avancer assez loin dans la rue sans être vu. Il dévalisa
260 les sept ou huit premières gibernes sans grand danger.

Il rampait à plat ventre, galopait à quatre pattes, prenait son panier aux dents, se tordait, glissait, ondulait, serpentait d'un mort à l'autre, et vidait la giberne ou la cartouchière comme un singe ouvre une noix.

265   De la barricade, dont il était encore assez près, on n'osait lui crier de revenir, de peur d'appeler l'attention sur lui. **(56)**

---

71. *Fannicot* : capitaine de la garde nationale qui a tenté de prendre la barricade d'assaut (voir V, V, XII).

————— **QUESTIONS** —————————————————

56. Dans quelle mesure le dialogue entre Gavroche et Courfeyrac peut-il permettre de définir le ton général du passage ? Que traduit le laconisme des questions et des réponses échangées ? A quoi correspond la gouaille du gamin ? Pourquoi le narrateur a-t-il, à votre avis, choisi de nous présenter la scène de cette façon ? — Quelles sont ici les caractéristiques principales de la narration ? En quoi la brièveté des énoncés et des paragraphes confère-t-elle à la relation des faits un rythme un peu haletant ? Par quels yeux la scène est-elle censée être vue ? Sur quoi fondez-vous votre opinion ? — Pourquoi le romancier explique-t-il la possibilité de la sortie de Gavroche ? Dans quelle mesure cette justification tient-elle le lecteur en haleine ? En quoi sa crédibilité renforce-t-elle le pathétique de la situation ?

Sur un cadavre, qui était un caporal, il trouva une poire à poudre.

— Pour la soif, dit-il, en la mettant dans sa poche.

270 A force d'aller en avant, il parvint au point où le brouillard de la fusillade devenait transparent.

Si bien que les tirailleurs de la ligne rangés et à l'affût derrière leur levée de pavés, et les tirailleurs de la banlieue massés à l'angle de la rue, se montrèrent soudainement 275 quelque chose qui remuait dans la fumée.

Au moment où Gavroche débarrassait de ses cartouches un sergent gisant près d'une borne, une balle frappa le cadavre.

— Fichtre! fit Gavroche. Voilà qu'on me tue mes morts.

Une deuxième balle fit étinceler le pavé à côté de lui. Un 280 troisième renversa son panier.

Gavroche regarda, et vit que cela venait de la banlieue.

Il se dressa tout droit, debout, les cheveux au vent, les mains sur les hanches, l'œil fixé sur les gardes nationaux qui tiraient, et il chanta :

285
> On est laid à Nanterre,
> C'est la faute à Voltaire,
> Et bête à Palaiseau,
> C'est la faute à Rousseau.

Puis il ramassa son panier, y remit, sans en perdre une 290 seule, les cartouches qui en étaient tombées, et, avançant vers la fusillade, alla dépouiller une autre giberne. Là une quatrième balle le manqua encore. Gavroche chanta :

> Je ne suis pas notaire,
> C'est la faute à Voltaire,
295
> Je suis petit oiseau,
> C'est la faute à Rousseau.

Une cinquième balle ne réussit qu'à tirer de lui un troisième couplet :

300
> Joie est mon caractère,
> C'est la faute à Voltaire ;
> Misère est mon trousseau,
> C'est la faute à Rousseau.

Cela continua ainsi quelque temps. **(57)**

———— **QUESTIONS** ————

57. Pourquoi le narrateur ne commente-t-il pas lui-même la situation? Dans quel piège évite-t-il ainsi de tomber? Renonce-t-il pour autant à stimuler la sensibilité du lecteur? Comment y parvient-il? Quel est l'avantage de la solution ainsi adoptée? — Quelle attitude Gavroche adopte-t-il face au danger? Est-elle conforme à son caractère? En quoi consiste sa grandeur?

Le spectacle était épouvantable et charmant. Gavroche,
305 fusillé, taquinait la fusillade. Il avait l'air de s'amuser beaucoup. C'était le moineau becquetant les chasseurs. Il répondait
à chaque décharge par un couplet. On le visait sans cesse, on
le manquait toujours. Les gardes nationaux et les soldats
riaient en l'ajustant. Il se couchait, puis se redressait, s'effaçait
310 dans un coin de porte, puis bondissait, disparaissait, reparaissait, se sauvait, revenait, ripostait à la mitraille par des pieds
de nez, et cependant pillait les cartouches, vidait les gibernes
et remplissait son panier. Les insurgés, haletants d'anxiété, le
suivaient des yeux. La barricade tremblait ; lui, il chantait. Ce
315 n'était pas un enfant, ce n'était pas un homme ; c'était un
étrange gamin fée. On eût dit le nain invulnérable de la mêlée.
Les balles couraient après lui, il était plus leste qu'elles. Il
jouait on ne sait quel effrayant jeu de cache-cache avec la
mort ; chaque fois que la face camarde[72] du spectre s'appro-
320 chait, le gamin lui donnait une pichenette.

Une balle pourtant, mieux ajustée ou plus traître que les
autres, finit par atteindre l'enfant feu follet. On vit Gavroche
chanceler, puis il s'affaissa. Toute la barricade poussa un cri ;
mais il y avait de l'Antée[73] dans ce pygmée ; pour le gamin
325 toucher le pavé, c'est comme pour le géant toucher la terre ;
Gavroche n'était tombé que pour se redresser ; il resta assis
sur son séant, un long filet de sang rayait son visage, il éleva
ses deux bras en l'air, regarda du côté d'où était venu le coup,
et se mit à chanter :

330   Je suis tombé par terre,
                     C'est la faute à Voltaire,
                     Le nez dans le ruisseau,
                     C'est la faute à[74]...

---

72. *Camard* : au nez plat et écrasé. Allusion à la Mort, dont le visage décharné est
dépourvu de nez et que l'on désigne souvent sous le surnom de la Camarde ; **73.** *Antée* : géant
mythologique ; fils de Poséidon et de la Terre, il était invincible tant qu'il touchait le sol.
Héraclès le souleva et l'étouffa entre ses bras ; **74.** Le refrain de Gavroche est inspiré des
Mandements des vicaires généraux pour le carême de 1817, chanson anticléricale condamnée
comme « séditieuse, irréligieuse, contraire aux bonnes mœurs, calomnieuse envers des personnes revêtues d'un caractère respectable ». En voici le premier couplet :

Pour le carême, écoutez
Ce mandement, nos chers frères,
Et les grandes vérités
Que débitent nos vicaires.
Si l'on rit de ce morceau,
C'est la faute de Rousseau,
Si l'on nous siffle en chaire,
C'est la faute de Voltaire.

(D'après Pierre Reboul, « Notes sur Stendhal, Vigny, Hugo », dans la *Revue des sciences
humaines*, avril-septembre 1951.)

Il n'acheva point. Une seconde balle du même tireur l'arrêta
335 court. Cette fois il s'abattit la face contre le pavé, et ne remua
plus. Cette petite grande âme venait de s'envoler. **(58) (59)**

[Le dénouement approchant, le moment vient d'exécuter l'espion
Javert. En récompense de ses services, Jean Valjean obtient le privilège de se charger de cette besogne.]

XIX

JEAN VALJEAN SE VENGE

Quand Jean Valjean fut seul avec Javert, il défit la corde qui
assujettissait le prisonnier par le milieu du corps, et dont le
nœud était sous la table. Après quoi, il lui fit signe de se lever.
340 Javert obéit, avec cet indéfinissable sourire où se condense
la suprématie de l'autorité enchaînée.

Jean Valjean prit Javert par la martingale[75] comme on prendrait une bête de somme par la bricole[76], et, l'entraînant après
lui, sortit du cabaret, lentement, car Javert, entravé aux
345 jambes, ne pouvait faire que de très petits pas.

Jean Valjean avait le pistolet au poing.

Ils franchirent ainsi le trapèze intérieur de la barricade. Les
insurgés, tout à l'attaque imminente, tournaient le dos.

Marius, seul, placé de côté à l'extrémité gauche du barrage,
350 les vit passer. Ce groupe du patient et du bourreau s'éclaira de
la lueur sépulcrale qu'il avait dans l'âme.

Jean Valjean fit escalader, avec quelque peine, à Javert
garrotté, mais sans le lâcher un seul instant, le petit retranchement de la ruelle Mondétour.

---

75. *Martingale* : courroie qui relie aux rênes la sangle placée sous le ventre d'un cheval ;
elle a pour rôle d'empêcher l'animal de remuer librement la tête. Il s'agit ici de « la corde qui
assujettissait le prisonnier par le milieu du corps » ; **76.** *Bricole* : pièce du harnais placée sur la
poitrine d'un cheval.

─────── ▪ **QUESTIONS** ▪ ───────

58. Par quelle formule le narrateur exprime-t-il le mélange d'éléments drama-
tiques et d'éléments plaisants qui entrent dans la composition de cette scène ?
Pourquoi les dernières péripéties du drame nous sont-elles présentées comme un
jeu ? De quelle manière le style du passage rend-il sensible la vivacité du
personnage ? la rapidité de l'action ?

59. SUR L'ENSEMBLE DU CHAPITRE XV. — Quelle est, selon vous, l'importance
de la mort de Gavroche ici et dans ces conditions ?
— En quoi la fin du gamin annonce-t-elle la chute de la barricade ?

355 Quand ils eurent enjambé ce barrage, ils se trouvèrent seuls dans la ruelle. Personne ne les voyait plus. Le coude des maisons les cachait aux insurgés. Les cadavres retirés de la barricade faisaient un monceau terrible à quelques pas.

On distinguait dans le tas des morts une face livide, une
360 chevelure dénouée, une main percée, et un sein de femme demi-nu. C'était Eponine.

Javert considéra obliquement cette morte et, profondément calme, dit à demi-voix :

— Il me semble que je connais cette fille-là.

365 Puis il se tourna vers Jean Valjean.

Jean Valjean mit le pistolet sous son bras et fixa sur Javert un regard qui n'avait pas besoin de paroles pour dire :
— Javert, c'est moi.

Javert répondit :
370 — Prends ta revanche.

Jean Valjean tira de son gousset un couteau, et l'ouvrit.

— Un surin! s'écria Javert. Tu as raison. Cela te convient mieux. **(60)**

Jean Valjean coupa la martingale que Javert avait au cou,
375 puis il coupa les cordes qu'il avait aux poignets, puis, se baissant, il coupa la ficelle qu'il avait aux pieds ; et, se redressant, il lui dit :

— Vous êtes libre.

Javert n'était pas facile à étonner. Cependant, tout maître
380 qu'il était de lui, il ne put se soustraire à une commotion. Il resta béant et immobile.

Jean Valjean poursuivit :

— Je ne crois pas que je sorte d'ici. Pourtant, si, par hasard, j'en sortais, je demeure sous le nom de Fauchelevent, rue de
385 l'Homme-Armé, numéro sept.

──────── ■ QUESTIONS ────────────────

60. Pourquoi Jean Valjean et Javert ne s'adressent-ils d'abord pas la parole ? Ce mutisme vous paraît-il dans la logique de la situation ? Ne permet-il pas, en outre, d'accroître l'intensité dramatique ? Pour quelle raison ? — Comment le narrateur entretient-il chez son lecteur le doute quant aux intentions exactes de l'ancien forçat ? A quoi remarquez-vous notamment sa duplicité ? Par quels yeux cherche-t-il à nous faire voir le *groupe du patient et du bourreau ?* Pourquoi nous rapporte-t-il minutieusement les détails de la marche des deux hommes ? — Quels sont, dans le comportement de Javert, les détails qui retiennent particulièrement l'attention ? A quoi reconnaissez-vous le courage de l'inspecteur ? sa conscience professionnelle ? L'auteur nous l'a-t-il toujours présenté sous un jour favorable ? Dans quel dessein le fait-il ici ?

Javert eut un froncement de tigre qui lui entrouvrit un coin de la bouche, et il murmura entre ses dents :

— Prends garde.

— Allez, dit Jean Valjean.

390 Javert reprit :

— Tu as dit Fauchelevent, rue de l'Homme-Armé?

— Numéro sept.

Javert répéta à demi-voix : numéro sept.

Il reboutonna sa redingote, remit de la roideur militaire 395 entre ses deux épaules, fit demi-tour, croisa les bras en soutenant son menton dans une de ses mains, et se mit à marcher dans la direction des Halles. Jean Valjean le suivit des yeux. Après quelques pas, Javert se retourna et cria à Jean Valjean :

— Vous m'ennuyez. Tuez-moi plutôt.

400 Javert ne s'apercevait pas lui-même qu'il ne tutoyait plus Jean Valjean.

— Allez-vous-en, dit Jean Valjean.

Javert s'éloigna à pas lents. Un moment après, il tourna l'angle de la rue des Prêcheurs.

405 Quand Javert eut disparu, Jean Valjean déchargea le pistolet en l'air.

Puis il rentra dans la barricade et dit :

— C'est fait. (61)

Cependant voici ce qui s'était passé :

410 Marius, plus occupé du dehors que du dedans, n'avait pas jusque-là regardé attentivement l'espion garrotté au fond obscur de la salle basse.

Quand il le vit au grand jour, enjambant la barricade pour aller mourir,-il le reconnut. Un souvenir subit lui entra dans 415 l'esprit. Il se rappela l'inspecteur de la rue de Pontoise, et les deux pistolets qu'il lui avait remis et dont il s'était servi, lui Marius, dans cette barricade même; et non seulement il se rappela la figure, mais il se rappela le nom.

────── **QUESTIONS** ──────

61. En quoi consiste le caractère inattendu de ce coup de théâtre? Pouvait-on légitimement penser que Jean Valjean tuerait Javert? Comment l'auteur est-il, malgré tout, parvenu à nous laisser dans l'incertitude jusqu'au dénouement de la scène? — A quoi remarque-t-on la surprise de Javert? Pourquoi l'émoi du policier est-il, au moins en apparence, de courte durée? L'auteur ne nous laisse-t-il pas, cependant, supposer que son personnage est profondément ébranlé? Sur quel détail significatif appuyez-vous votre opinion? — Le comportement de Jean Valjean vous semble-t-il parfaitement logique?

Ce souvenir pourtant était brumeux et trouble comme
420 toutes ses idées. Ce ne fut pas une affirmation qu'il se fit, ce
fut une question qu'il s'adressa : — Est-ce que ce n'est pas là
cet inspecteur de police qui m'a dit s'appeler Javert?

Peut-être était-il encore temps d'intervenir pour cet homme?
Mais il fallait d'abord savoir si c'était bien ce Javert.

425 Marius interpella Enjolras qui venait de se placer à l'autre
bout de la barricade :

— Enjolras!

— Quoi?

— Comment s'appelle cet homme-là?

430 — Qui?

— L'agent de police. Sais-tu son nom?

— Sans doute. Il nous l'a dit.

— Comment s'appelle-t-il?

— Javert.

435 Marius se dressa.

En ce moment on entendit le coup de pistolet.

Jean Valjean reparut et cria : c'est fait.

Un froid sombre traversa le cœur de Marius. **(62) (63)**

[Malgré une résistance acharnée, la barricade est prise d'assaut. Au
moment où les derniers insurgés se replient dans le cabaret Corinthe,
qu'ils défendront pied à pied jusqu'à la mort, Marius tombe, frappé
d'une balle qui lui brise la clavicule. Il a, en s'évanouissant, conscience d'être saisi par « une main vigoureuse ». « Je suis fait prisonnier, pense-t-il. Je serai fusillé. » Son corps, en réalité, vient d'être
ramassé par Jean Valjean, qui, faute de trouver une autre issue,
pénètre avec son fardeau dans l'égout de Paris.]

——————— **QUESTIONS** ———————

62. Vous paraît-il vraisemblable que Marius n'ait pas reconnu plus tôt Javert?
Quelle explication proposez-vous de ce fait? Pourquoi la mémoire ne revient-
elle que progressivement au jeune homme? En quoi son intervention aurait-elle
perturbé la suite de l'action? — Comment interprétez-vous le *froid sombre*
ressenti par Marius? Celui-ci n'a-t-il pas quelques reproches à se faire quant à sa
conduite à l'égard de l'inspecteur? Quels rapports peut-il supposer entre ce
dernier et celui qu'il connaît sous le nom de Fauchelevent? Sous quel jour lui
apparaît l'exécution de l'espion par le vieillard?

63. SUR L'ENSEMBLE DU CHAPITRE XIX. — Comment Jean Valjean nous
apparaît-il dans ce passage? Ne parvient-il pas ici à un niveau de noblesse non
encore atteint par lui? Pourquoi? Quels griefs possède-t-il contre Javert à titre
personnel? à d'autres titres? Quelle signification prend, dans cette optique, son
attitude à l'égard de l'inspecteur? — Ce chapitre n'aura-t-il pas une double série
de conséquences? De quelle partie de l'action prépare-t-il directement le
dénouement? De quelle autre annonce-t-il, à plus long terme, le développement?

LIVRE DEUXIÈME

L'INTESTIN DE LEVIATHAN

[Hugo consacre les six chapitres de ce livre aux égouts parisiens, dont il fait en particulier un historique assez détaillé.]

LIVRE TROISIÈME

LA BOUE, MAIS L'ÂME

[Le labyrinthe dans lequel s'est engagé Jean Valjean a un fil : c'est sa pente. « Suivre la pente, c'est aller à la rivière. » Dans l'obscurité et au milieu d'innombrables difficultés, l'ancien forçat, qui « lui aussi porte sa croix », cherche donc à gagner les berges de la Seine, où il compte pouvoir sortir du cloaque. Il sent soudain sous ses pieds « non plus du pavé, mais de la vase ».]

VI

LE FONTIS[77]

Jean Valjean se trouvait en présence d'un fontis.
[...] Le fontis que Jean Valjean rencontrait avait pour cause l'averse de la veille. Un fléchissement du pavé mal soutenu par le sable sous-jacent avait produit un engorgement d'eau
5 pluviale. L'infiltration s'étant faite, l'effondrement avait suivi. Le radier[78], disloqué, s'était affaissé dans la vase. Sur quelle longueur? Impossible de le dire. L'obscurité était là plus épaisse que partout ailleurs. C'était un trou de boue dans une caverne de nuit.
10 Jean Valjean sentit le pavé se dérober sous lui. Il entra dans cette fange. C'était de l'eau à la surface, de la vase au fond. Il fallait bien passer. Revenir sur ses pas était impossible.

---

77. *Fontis* : affaissement du sol. Il s'agit ici d'un effondrement du pavé de l'égout provoqué par une infiltration d'eaux de pluie (voir texte ci-dessous); 78. *Radier* : revêtement de maçonnerie couvrant le sol de l'égout et servant d'assise à ses voûtes.

Marius était expirant, et Jean Valjean exténué. Où aller d'ailleurs? Jean Valjean avança. Du reste la fondrière parut peu
15 profonde aux premiers pas. Mais à mesure qu'il avançait, ses
pieds plongeaient. Il eut bientôt de la vase jusqu'à mi-jambe et
de l'eau plus haut que les genoux. Il marchait, exhaussant de
ses deux bras Marius le plus qu'il pouvait au-dessus de l'eau.
La vase lui venait maintenant aux jarrets et l'eau à la ceinture.
20 Il ne pouvait déjà plus reculer. Il enfonçait de plus en plus.
Cette vase, assez dense pour le poids d'un homme, ne pouvait
évidemment en porter deux. Marius et Jean Valjean eussent
eu chance de s'en tirer, isolément. Jean Valjean continua
d'avancer, soutenant ce mourant, qui était un cadavre peut-
25 être.

L'eau lui venait aux aisselles; il se sentait sombrer; c'est à
peine s'il pouvait se mouvoir dans la profondeur de bourbe où
il était. La densité qui était le soutien, était aussi l'obstacle. Il
soulevait toujours Marius, et avec une dépense de force
30 inouïe, il avançait; mais il enfonçait. Il n'avait plus que la tête
hors de l'eau, et ses deux bras élevant Marius. Il y a, dans les
vieilles peintures du déluge, une mère qui fait ainsi de son
enfant.

Il enfonça encore, il renversa sa face en arrière pour échap-
35 per à l'eau et pouvoir respirer; qui l'eût vu dans cette obscurité eût cru voir un masque flottant sur l'ombre; il apercevait vaguement au-dessus de lui la tête pendante et le visage
livide de Marius; il fit un effort désespéré, et lança son pied en
avant; son pied heurta on ne sait quoi de solide : un point
40 d'appui. Il était temps.

Il se dressa et se tordit et s'enracina avec une sorte de furie
sur ce point d'appui. Cela lui fit l'effet de la première marche
d'un escalier remontant à la vie.

Ce point d'appui, rencontré dans la vase au moment
45 suprême, était le commencement de l'autre versant du radier,
qui avait plié sans se briser et s'était courbé sous l'eau comme
une planche et d'un seul morceau. Les pavages bien construits
font voûte et ont de ces fermetés-là. Ce fragment du radier,
submergé en partie, mais solide, était une véritable rampe, et,
50 une fois sur cette rampe, on était sauvé. Jean Valjean remonta
ce plan incliné et arriva de l'autre côté de la fondrière.

En sortant de l'eau, il se heurta à une pierre et tomba sur les
genoux. Il trouva que c'était juste, et y resta quelque temps,
l'âme abîmée dans on ne sait quelle parole à Dieu.

55 Il se redressa, frissonnant, glacé, infect, courbé sous ce
mourant qu'il traînait, tout ruisselant de fange, l'âme pleine
d'une étrange clarté. **(64)**

VII

L'EXTRÉMITÉ

Il se remit en route encore une fois.

Du reste, s'il n'avait pas laissé sa vie dans le fontis, il
60 semblait y avoir laissé sa force. Ce suprême effort l'avait
épuisé. Sa lassitude était maintenant telle, que tous les trois ou
quatre pas, il était obligé de reprendre haleine, et s'appuyait au
mur. Une fois il dut s'asseoir sur la banquette pour changer la
position de Marius, et il crut qu'il demeurerait là. Mais si sa
65 vigueur était morte, son énergie ne l'était point. Il se releva.

Il marcha désespérément, presque vite, fit ainsi une centaine
de pas, sans dresser la tête, presque sans respirer, et tout à
coup se cogna au mur. Il était parvenu à un coude de l'égout,
et, en arrivant tête basse au tournant, il avait rencontré la
70 muraille. Il leva les yeux, et à l'extrémité du souterrain, là-bas
devant lui, loin, très loin, il aperçut une lumière. Cette fois, ce
n'était pas la lumière terrible ; c'était la lumière bonne et
blanche. C'était le jour.

Jean Valjean voyait l'issue.

75 Une âme damnée qui, du milieu de la fournaise, apercevrait
tout à coup la sortie de la géhenne[79], éprouverait ce
qu'éprouva Jean Valjean. Elle volerait éperdument avec le
moignon de ses ailes brûlées vers la porte radieuse. Jean

79. *Géhenne* : mot désignant l'enfer dans la Bible.

——— **QUESTIONS** ———

64. Pourquoi le narrateur porte-t-il avec autant d'insistance l'accent sur l'explication technique des difficultés rencontrées par Jean Valjean? Quelle impression parvient-il ainsi à créer? En quoi celle-ci renforce-t-elle le pathétique de la
situation? — Où résident essentiellement l'héroïsme et l'abnégation de Jean
Valjean? Pourquoi sont-ils discrètement formulés plutôt que fortement souli-
gnés? Avons-nous déjà rencontré l'utilisation d'un tel procédé chez Hugo? Dans
quelles occasions? — Le passage ne contient-il pas quelques résonances symboliques? Par quelle observation sont-elles annoncées dès le début? Quelles
expressions en indiquent à différentes reprises la présence? Comment se trou-
vent-elles confirmées par la fin du chapitre?

Valjean ne sentit plus la fatigue. Il ne sentit plus le poids de
80 Marius, il retrouva ses jarrets d'acier, il courut plus qu'il ne
marcha. A mesure qu'il approchait, l'issue se dessinait de plus
en plus distinctement. C'était une arche cintrée, moins haute
que la voûte qui se restreignait par degrés et moins large que
la galerie qui se resserrait en même temps que la voûte s'abais-
85 sait. Le tunnel finissait en intérieur d'entonnoir ; rétrécisse-
ment vicieux, imité des guichets de maisons de force[80], logique
dans une prison, illogique dans un égout, et qui a été corrigé
depuis.

Jean Valjean arriva à l'issue.

90 Là, il s'arrêta.

C'était bien la sortie, mais on ne pouvait sortir.

L'arche était fermée d'une forte grille, et la grille, qui, selon
toute apparence, tournait rarement sur ses gonds oxydés, était
assujettie à son chambranle de pierre par une serrure épaisse
95 qui, rouge de rouille, semblait une énorme brique. On voyait le
trou de la clef, et le pêne robuste profondément plongé dans la
gâche de fer. La serrure était visiblement fermée à double
tour. C'était une de ces serrures de bastilles que le vieux Paris
prodiguait volontiers. **(65)**

[Survient Thénardier. Il est, lui aussi, dans l'égout, mais il dispose
d'une clef de la grille. Après avoir déchiré un pan de l'habit de Marius,
qu'il suppose avoir été assassiné par l'homme qui le porte, il fait sortir
Jean Valjean.]

IX

MARIUS FAIT L'EFFET D'ÊTRE MORT À QUELQU'UN QUI S'Y CONNAÎT

100 Il laissa glisser Marius sur la berge.

Ils étaient dehors!

Les miasmes[81], l'obscurité, l'horreur, étaient derrière lui.
L'air salubre, pur, vivant, joyeux, librement respirable, l'inon-

---

80. *Maison de force :* prison correctionnelle ; **81.** *Miasme :* émanation provenant d'un corps
en putréfaction.

―――――― **QUESTIONS** ――――――――――――――――――

Questions 65, v. p. 97.

dait. Partout autour de lui le silence, mais le silence charmant
105 du soleil couché en plein azur. Le crépuscule s'était fait ; la
nuit venait, la grande libératrice, l'amie de tous ceux qui ont
besoin d'un manteau d'ombre pour sortir d'une angoisse. Le
ciel s'offrait de toutes parts comme un calme énorme. La
rivière arrivait à ses pieds avec le bruit d'un baiser. On enten-
110 dait le dialogue aérien des nids qui se disaient bonsoir dans les
ormes des Champs-Élysées. Quelques étoiles, piquant faiblement le bleu pâle du zénith et visibles à la seule rêverie,
faisaient dans l'immensité de petits resplendissements imperceptibles. Le soir déployait sur la tête de Jean Valjean toutes
115 les douceurs de l'infini.

C'était l'heure indécise et exquise qui ne dit ni oui ni non. Il
y avait déjà assez de nuit pour qu'on pût s'y perdre à quelque
distance, et encore assez de jour pour qu'on pût s'y reconnaître de près.

120 Jean Valjean fut pendant quelques secondes irrésistiblement
vaincu par toute cette sérénité auguste et caressante ; il y a de
ces minutes d'oubli ; la souffrance renonce à harceler le misérable ; tout s'éclipse dans la pensée ; la paix couvre le songeur
comme une nuit ; et sous le crépuscule qui rayonne, et, à
125 l'imitation du ciel qui s'illumine, l'âme s'étoile. Jean Valjean
ne put s'empêcher de contempler cette vaste ombre claire qu'il
avait au-dessus de lui ; pensif, il prenait dans le majestueux
silence du ciel éternel un bain d'extase et de prière. Puis,
vivement, comme si le sentiment d'un devoir lui revenait, il se
130 courba vers Marius, et, puisant de l'eau dans le creux de sa
main, il lui en jeta doucement quelques gouttes sur le visage.
Les paupières de Marius ne se soulevèrent pas ; cependant sa
bouche entrouverte respirait.

───── **QUESTIONS** ─────────────────────

65. A quoi reconnaît-on ici le courage de Jean Valjean ? Comment le romancier le rend-il particulièrement sensible ? Quelle est l'importance de la distinction
qu'il opère entre la vigueur et l'énergie ? De quelle manière précise faut-il, selon
vous, l'interpréter ? — Comment l'écrivain donne-t-il tout son relief au coup de
théâtre qui termine cet extrait ? Pourquoi commence-t-il par signaler le rétrécis-
sement de l'égout ? Quelle impression crée-t-il ainsi ? Quel thème annonce déjà
l'allusion aux *maisons de force* ? Pour quelle raison l'impossibilité de sortir est-
elle signalée avant la raison de cette impossibilité ? Quelle démarche déjà ren-
contrée retrouvez-vous ici ? — Ne remarquez-vous pas encore dans ce passage
certains éléments symboliques ? Dans quelle mesure ce fait confirme-t-il les
observations effectuées à propos du chapitre précédent ? Quelle signification
exacte donnez-vous à cette traversée des égouts par Jean Valjean ?

Jean Valjean allait plonger de nouveau sa main dans la
135 rivière, quand tout à coup il sentit je ne sais quelle gêne,
comme lorsqu'on a, sans le voir, quelqu'un derrière soi.

Nous avons déjà indiqué ailleurs cette impression, que tout
le monde connaît.

Il se retourna.

140 Comme tout à l'heure, quelqu'un en effet était derrière lui.

Un homme de haute stature, enveloppé d'une longue redingote, les bras croisés, et portant dans son poing droit un casse-
tête dont on voyait la pomme de plomb, se tenait debout à
quelques pas en arrière de Jean Valjean accroupi sur Marius.

145 C'était, l'ombre aidant, une sorte d'apparition. Un homme
simple en eût eu peur à cause du crépuscule, et un homme
réfléchi à cause du casse-tête.

Jean Valjean reconnut Javert. **(66)**

[Javert attendait Thénardier, qu'il avait filé jusqu'à l'orifice de
l'égout.]

Jean Valjean était passé d'un écueil à l'autre.

150 Ces deux rencontres coup sur coup, tomber de Thénardier
en Javert, c'était rude.

Javert ne reconnut pas Jean Valjean qui, nous l'avons dit, ne
se ressemblait plus à lui-même. Il ne décroisa pas les bras,
assura son casse-tête dans son poing par un mouvement
155 imperceptible, et dit d'une voix brève et calme :

— Qui êtes-vous ?

— Moi.

— Qui, vous ?

— Jean Valjean.

─────── **QUESTIONS** ───────

66. Comment se manifeste le soulagement du héros à sa sortie de l'égout ?
Qu'est-ce qui donne à sa vision du monde extérieur l'apparence d'un rêve
éveillé ? En quoi cette appréhension est-elle poétique ? romantique ? Justifiez
votre point de vue. — Quelles sont les deux étapes du retour de Jean Valjean à
la réalité ? Comment celle-ci se présente-t-elle ? Qu'y a-t-il d'inquiétant dans
l'état de Marius ? de menaçant dans l'apparition de Javert ? — Ne retrouve-t-on
pas ici la symbolique, fréquente chez Hugo, de l'ombre et de la lumière ?
Comment les éléments s'organisent-ils habituellement ? Se répartissent-ils ainsi
dans cette page ? Appuyez votre réponse sur quelques exemples précis. De
quelle manière interprétez-vous le bouleversement de la thématique tradition-
nelle ainsi mis en lumière ? Quelle transformation des données du roman nous
annonce-t-il déjà ?

160 Javert mit le casse-tête entre ses dents, ploya les jarrets, inclina le torse, posa ses deux mains puissantes sur les épaules de Jean Valjean, qui s'y emboîtèrent comme dans deux étaux, l'examina, et le reconnut. Leurs visages se touchaient presque. Le regard de Javert était terrible.

165 Jean Valjean demeura inerte sous l'étreinte de Javert comme un lion qui consentirait à la griffe d'un lynx.

— Inspecteur Javert, dit-il, vous me tenez. D'ailleurs, depuis ce matin je me considère comme votre prisonnier. Je ne vous ai point donné mon adresse pour chercher à vous échap-
170 per. Prenez-moi. Seulement, accordez-moi une chose.

Javert semblait ne pas entendre. Il appuyait sur Jean Valjean sa prunelle fixe. Son menton froncé poussait ses lèvres vers son nez, signe de rêverie farouche. Enfin, il lâcha Jean Valjean, se dressa tout d'une pièce, reprit à plein poignet le
175 casse-tête, et, comme dans un songe, murmura plutôt qu'il ne prononça cette question :

— Que faites-vous là? et qu'est-ce que c'est que cet homme?

Il continuait de ne plus tutoyer Jean Valjean.

180 Jean Valjean répondit, et le son de sa voix parut réveiller Javert :

— C'est de lui précisément que je voulais vous parler. Disposez de moi comme il vous plaira; mais aidez-moi d'abord à le rapporter chez lui. Je ne vous demande que cela.

185 La face de Javert se contracta comme cela lui arrivait toutes les fois qu'on semblait le croire capable d'une concession. Cependant il ne dit pas non.

Il se courba de nouveau, tira de sa poche un mouchoir qu'il trempa dans l'eau, et essuya le front ensanglanté de Marius.

190 — Cet homme était à la barricade, dit-il à demi-voix et comme se parlant à lui-même. C'est celui qu'on appelait Marius.

Espion de première qualité, qui avait tout observé, tout écouté, tout entendu et tout recueilli, croyant mourir; qui
195 épiait même dans l'agonie, et qui, accoudé sur la première marche du sépulcre, avait pris des notes.

Il saisit la main de Marius, cherchant le pouls.

— C'est un blessé, dit Jean Valjean.

— C'est un mort, dit Javert.

200 Jean Valjean répondit :

— Non. Pas encore.

— Vous l'avez donc apporté de la barricade ici? observa Javert.

205 Il fallait que sa préoccupation fût profonde pour qu'il n'insistât point sur cet inquiétant sauvetage par l'égout et pour qu'il ne remarquât même pas le silence de Jean Valjean après sa question.

Jean Valjean, de son côté, semblait avoir une pensée unique. Il reprit :

210 — Il demeure au Marais, rue des Filles du Calvaire, chez son aïeul... — Je ne sais plus le nom.

Jean Valjean fouilla dans l'habit de Marius, en tira le portefeuille, l'ouvrit à la page crayonnée par Marius, et le tendit à Javert.

215 Il y avait encore dans l'air assez de clarté flottante pour qu'on pût lire. Javert, en outre, avait dans l'œil la phosphorescence féline des oiseaux de nuit. Il déchiffra les quelques lignes écrites par Marius, et grommela : — Gillenormand, rue des Filles du Calvaire, numéro 6.

220 Puis il cria : — Cocher!

On se rappelle le fiacre qui attendait, en-cas.

Javert garda le portefeuille de Marius.

Un moment après, la voiture, descendue par la rampe de l'abreuvoir[82], était sur la berge, Marius était déposé sur la 225 banquette du fond, et Javert s'asseyait près de Jean Valjean sur la banquette de devant.

La portière refermée, le fiacre s'éloigna rapidement remontant les quais dans la direction de la Bastille. **(67) (68)**

[Marius est déposé chez son grand-père. Jean Valjean obtient la faveur de passer à son domicile avant d'être conduit au poste. Entré

---

82. Il s'agit d'une rampe qui, descendant vers la Seine, permettait aux cochers de fiacre de mener leurs chevaux boire à la rivière (voir V, III, III).

──────── **QUESTIONS** ────────

67. Qu'y a-t-il de changé dans l'attitude de Javert? Sur quelle impression sa première réaction laisse-t-elle le lecteur? Comment l'auteur cherche-t-il à la renforcer? En quoi consiste essentiellement la modification perceptible dans le comportement de l'inspecteur? Selon quelle progression le narrateur nous la laisse-t-il deviner? Citez quelques exemples à l'appui de vos réponses. — Le personnage de Javert vous paraît-il reconnaissable? Peut-on retrouver à travers son trouble les traits dominants de son caractère? Pourquoi emmène-t-il Jean Valjean et Marius sans fournir la moindre explication? Comment interprétez-vous le fait qu'il n'ait ni accepté ni refusé la faveur demandée par son sauveur?

Questions 68, v. p. 101.

chez lui, il cherche en vain à apercevoir par une fenêtre l'inspecteur, qui est censé l'attendre dans la rue : Javert s'en est allé, laissant son prisonnier libre.]

XII

L'AÏEUL

[Pendant ce temps, chez Gillenormand, on s'empresse autour du blessé.]

Les vieillards ont le sommeil fragile ; la chambre de
230 M. Gillenormand était contiguë au salon, et, quelques précautions qu'on eût prises, le bruit l'avait réveillé. Surpris de la fente de lumière qu'il voyait à sa porte, il était sorti de son lit et était venu à tâtons.

Il était sur le seuil, une main sur le bec-de-cane de la porte
235 entrebâillée, la tête un peu penchée en avant et branlante, le corps serré dans une robe de chambre blanche, droite et sans plis comme un suaire, étonné ; et il avait l'air d'un fantôme qui regarde dans un tombeau.

Il aperçut le lit, et sur le matelas ce jeune homme sanglant,
240 blanc d'une blancheur de cire, les yeux fermés, la bouche ouverte, les lèvres blêmes, nu jusqu'à la ceinture, tailladé partout de plaies vermeilles, immobile, vivement éclairé.

L'aïeul eut de la tête aux pieds tout le frisson que peuvent avoir des membres ossifiés, ses yeux, dont la cornée était
245 jaune à cause du grand âge, se voilèrent d'une sorte de miroitement vitreux, toute sa face prit en un instant les angles terreux d'une tête de squelette, ses bras tombèrent pendants comme si un ressort s'y fût brisé, et sa stupeur se traduisit par l'écartement des doigts de ses deux vieilles mains toutes trem-
250 blantes, ses genoux firent un angle en avant, laissant voir par

---

QUESTIONS

68. SUR L'ENSEMBLE DU CHAPITRE IX. — Quelle importance attribuez-vous à la péripétie rapportée dans ce chapitre? Quel changement indique-t-elle dans l'attitude de Javert? dans celle de Jean Valjean? Quelles en seront les conséquences à brève échéance? à plus long terme? — En quoi ce passage annonce-t-il l'issue de la longue lutte entre le forçat et le policier? Ne prépare-t-il pas, en contrepartie, les erreurs de Marius et l'ingratitude qui en découlera? Vous apprécierez l'adresse déployée par l'auteur à utiliser le dénouement de l'une des actions principales pour mettre en place les éléments du dernier rebondissement de son roman.

l'ouverture de la robe de chambre ses pauvres jambes nues
hérissées de poils blancs, et il murmura :

— Marius !

— Monsieur, dit Basque, on vient de rapporter monsieur. Il
255 est allé à la barricade, et...

— Il est mort ! cria le vieillard d'une voix terrible. Ah ! le
brigand !

Alors une sorte de transfiguration sépulcrale redressa ce
centenaire droit comme un jeune homme.

260 — Monsieur, dit-il, c'est vous le médecin. Commencez par
me dire une chose. Il est mort, n'est-ce pas ?

Le médecin, au comble de l'anxiété, garda le silence.

M. Gillenormand se tordit les mains avec un éclat de rire
effrayant.

265 — Il est mort ! il est mort ! Il s'est fait tuer aux barricades !
en haine de moi ! C'est contre moi qu'il a fait ça ! Ah ! buveur
de sang ! c'est comme cela qu'il me revient ! Misère de ma vie,
il est mort ! **(69)**

Il alla à une fenêtre, l'ouvrit toute grande comme s'il étouf-
270 fait, et, debout devant l'ombre, il se mit à parler dans la rue à
la nuit :

— Percé, sabré, égorgé, exterminé, déchiqueté, coupé en
morceaux ! Voyez-vous ça, le gueux ! Il savait bien que je
l'attendais, et que je lui avais fait arranger sa chambre, et que
275 j'avais mis au chevet de mon lit son portrait du temps qu'il
était petit enfant ! Il savait bien qu'il n'avait qu'à revenir, et
que depuis des ans je le rappelais, et que je restais le soir au
coin de mon feu les mains sur mes genoux ne sachant que
faire, et que j'en étais imbécile ! Tu savais bien cela, que tu
280 n'avais qu'à rentrer et qu'à dire : c'est moi, et que tu serais le

―――――――― **QUESTIONS** ――――――――

69. Comment le narrateur explique-t-il l'intervention du vieux Gillenormand ?
Pourquoi la rapporte-t-il dans un style à la fois simple et neutre ? Quel effet
prépare-t-il ainsi ? — Dans quelles conditions physiques l'aïeul vous paraît-il ici ?
A quels détails le remarquez-vous particulièrement ? Au moyen de quelles
images ou comparaisons l'écrivain souligne-t-il la faiblesse de son état ? —
Pourquoi Marius nous est-il décrit aussi rapidement ? Le paragraphe qui le
concerne est-il dépourvu de notations expressives ? L'auteur s'est-il soucié d'en
souligner la portée ? Comment expliquez-vous ce fait ? Qu'y a-t-il, malgré tout,
de frappant dans la brève évocation de l'état du jeune homme ? — Sur quelle
impression vous laisse la réaction du vieillard ? Qu'est-ce qui en accentue la
violence ? En quoi vous semble-t-elle fébrile ? Comment le grand-père envi-
sage-t-il sa responsabilité à l'égard de Marius ? Dans quelle mesure son point de
vue peut-il être considéré comme exact ?

maître de la maison, et que je t'obéirais, et que tu ferais tout ce
que tu voudrais de ta vieille ganache de grand-père! Tu le
savais bien, et tu as dit : non, c'est un royaliste, je n'irai pas!
Et tu es allé aux barricades, et tu t'es fait tuer par méchanceté!
285 pour te venger de ce que je t'avais dit au sujet de monsieur le
duc de Berry[83]! C'est ça qui est infâme! Couchez-vous donc et
dormez tranquillement! Il est mort. Voilà mon réveil. **(70)**

Le médecin, qui commençait à être inquiet de deux côtés,
quitta un moment Marius et alla à M. Gillenormand, et lui prit
290 le bras. L'aïeul se retourna, le regarda avec des yeux qui
semblaient agrandis et sanglants, et lui dit avec calme :

— Monsieur, je vous remercie. Je suis tranquille, je suis un
homme, j'ai vu la mort de Louis XVI, je sais porter les
événements. Il y a une chose qui est terrible, c'est de penser
295 que ce sont vos journaux qui font tout le mal. Vous aurez des
écrivassiers, des parleurs, des avocats, des orateurs, des tri-
bunes, des discussions, des progrès, des lumières, des droits
de l'homme, de la liberté de la presse, et voilà comme on vous
rapportera vos enfants dans vos maisons! Ah! Marius! c'est
300 abominable! Tué! mort avant moi! Une barricade! Ah! le
bandit! Docteur, vous demeurez dans le quartier, je crois? Oh!
je vous connais bien. Je vois de ma fenêtre passer votre
cabriolet. Je vais vous dire. Vous auriez tort de croire que je
suis en colère. On ne se met pas en colère contre un mort. Ce
305 serait stupide. C'est un enfant que j'ai élevé. J'étais déjà vieux,
qu'il était encore tout petit. Il jouait aux Tuileries avec sa
petite pelle et sa petite chaise, et, pour que les inspecteurs ne
grondassent pas, je bouchais à mesure avec ma canne les trous
qu'il faisait dans la terre avec sa pelle. Un jour il a crié : A bas
310 Louis XVIII! et s'en est allé. Ce n'est pas ma faute. Il était
tout rose et tout blond. Sa mère est morte. Avez-vous

---

83. *Berry :* second fils de Charles X (1778-1820); son assassinat par Louvel, le 13 février
1820, servit aux ultras pour exiger le renvoi du ministre Decazes et imposer le retour à une
politique autoritaire.

--------- ■ **QUESTIONS** ■ ---------

70. Qu'y a-t-il de pathétique dans les propos tenus par le vieillard? Pourquoi
son chagrin revêt-il la forme d'un reproche adressé à son petit-fils? A quoi
sentez-vous que cette réaction n'est pas la marque d'un quelconque aveuglement
de sa part? Relevez les détails qui nous prouvent son attachement pour Marius.
— Le fond du problème sur lequel repose la querelle ne demeure-t-il pas
inchangé? Le vieux Gillenormand en a-t-il conscience? Ne peut-on, néanmoins,
le supposer prêt à certaines concessions? Sur quelles observations fondez-vous
votre opinion?

remarqué que tous les petits enfants sont blonds? A quoi cela
tient-il? C'est le fils d'un de ces brigands de la Loire[84], mais les
enfants sont innocents des crimes de leurs pères. Je me le
315 rappelle quand il était haut comme ceci. Il ne pouvait pas
parvenir à prononcer les *d*. Il avait un parler si doux et si
obscur qu'on eût cru un oiseau. Je me souviens qu'une fois,
devant l'Hercule Farnèse[85], on faisait cercle pour s'émerveiller
et l'admirer, tant il était beau, cet enfant! C'était une tête
320 comme il y en a dans les tableaux. Je lui faisais ma grosse
voix, je lui faisais peur avec ma canne, mais il savait bien que
c'était pour rire. Le matin, quand il entrait dans ma chambre,
je bougonnais, mais cela me faisait l'effet du soleil. On ne peut
pas se défendre contre ces mioches-là. Ils vous prennent, ils
325 vous tiennent, ils ne vous lâchent plus. La vérité est qu'il n'y
avait pas d'amour comme cet enfant-là. Maintenant, qu'est-ce
que vous dites de vos Lafayette, de vos Benjamin Constant[86],
et de vos Tirecuir de Corcelles[87], qui me le tuent! Ça ne peut
pas passer comme ça.

330 Il s'approcha de Marius toujours livide et sans mouvement,
et auquel le médecin était revenu, et il recommença à se tordre
les bras. Les lèvres blanches du vieillard remuaient comme
machinalement, et laissaient passer, comme des souffles dans
un râle, des mots presque indistincts qu'on entendait à peine :
335 — Ah! sans-cœur! Ah! clubiste[88]! Ah! scélérat! Ah! septembriseur[89]! — Reproches à voix basse d'un agonisant à un cadavre. **(71)**

---

84. Après l'armistice de juillet 1815, ce qui restait de l'armée napoléonienne s'était réfugié
au sud de la Loire. De là l'expression *brigands de la Loire* appliquée par les royalistes aux
fidèles de l'empereur déchu; **85.** *Hercule Farnèse* : célèbre statue d'Hercule conservée à la
villa Farnèse à Rome; **86.** L'écrivain est, en fait, mort depuis 1820; **87.** *Tire-cuir de Corcelles* : déformation malveillante du nom de Claude Tircuy de Corcelles, député libéral et
futur ambassadeur auprès du Saint-Siège (1802-1892); **88.** *Clubiste* : membre d'un club
politique; **89.** *Septembriseur* : voir note 2.

――――――― **QUESTIONS** ―――――――

71. Le vieux Gillenormand ne vous donne-t-il pas ici l'impression de délirer
légèrement? A quoi vous en rendez-vous compte? Pourquoi sa colère
dévie-t-elle un moment pour se porter de Marius sur le médecin? En quoi
certains enchaînements de son discours sont-ils illogiques? Une émotion vraie
n'apparaît-elle pas néanmoins sous le trouble du vieillard? Comment se manifeste-t-elle? Qu'est-ce qui caractérise les évocations de l'enfance de Marius? En
quoi sont-elles une preuve d'attention et d'attachement? Par quel raccourci le
grand-père rend-il compte de la rupture avec son petit-fils? Cette façon d'envisager l'événement est-elle objective? N'en traduit-elle pas moins la souffrance de
l'aïeul? — Que nous apprend (ou nous confirme) ce discours sur la psychologie
du vieillard?

Peu à peu, comme il faut toujours que les éruptions intérieures se fassent jour, l'enchaînement des paroles revint, mais
340 l'aïeul paraissait n'avoir plus la force de les prononcer ; sa voix
était tellement sourde et éteinte qu'elle semblait venir de l'autre bord d'un abîme :

— Ça m'est bien égal, je vais mourir aussi, moi. Et dire qu'il
n'y a pas dans Paris une drôlesse qui n'eût été heureuse de
345 faire le bonheur de ce misérable ! Un gredin qui, au lieu de
s'amuser et de jouir de la vie, est allé se battre et s'est fait
mitrailler comme une brute ! Et pour qui, pour quoi ? Pour la
république ! Au lieu d'aller danser à la Chaumière[90], comme
c'est le devoir des jeunes gens ! C'est bien la peine d'avoir
350 vingt ans. La république, belle fichue sottise ! Pauvres mères,
faites donc de jolis garçons ! Allons, il est mort. Ça fera deux
enterrements sous la porte cochère. Tu t'es donc fait arranger
comme cela pour les beaux yeux du général Lamarque !
Qu'est-ce qu'il t'avait fait, ce général Lamarque ? Un sabreur !
355 un bavard ! Se faire tuer pour un mort ! S'il n'y a pas de quoi
rendre fou ! Comprenez cela ! A vingt ans ! Et sans retourner la
tête pour regarder s'il ne laissait rien derrière lui ! Voilà maintenant les pauvres vieux bonshommes qui sont forcés de mourir tout seuls. Crève dans ton coin, hibou ! Eh bien, au fait, tant
360 mieux, c'est ce que j'espérais, ça va me tuer net. Je suis trop
vieux, j'ai cent ans, j'ai cent mille ans, il y a longtemps que j'ai
le droit d'être mort. De ce coup-là, c'est fait. C'est donc fini,
quel bonheur ! A quoi bon lui faire respirer de l'ammoniac et
tout ce tas de drogues ? Vous perdez votre peine, imbécile de
365 médecin ! Allez, il est mort, bien mort. Je m'y connais, moi qui
suis mort aussi. Il n'a pas fait la chose à demi. Oui, ce
temps-ci est infâme, infâme, infâme, et voilà ce que je pense
de vous, de vos idées, de vos systèmes, de vos maîtres, de vos
oracles, de vos docteurs, de vos garnements d'écrivains, de
370 vos gueux de philosophes, et de toutes les révolutions qui
effarouchent depuis soixante ans les nuées de corbeaux des
Tuileries ! Et puisque tu as été sans pitié en te faisant tuer
comme cela, je n'aurai même pas de chagin de ta mort,
entends-tu, assassin !

375 En ce moment, Marius ouvrit lentement les paupières, et

---

90. *La Chaumière :* bal public fondé en 1787 et lieu de réunion favori des étudiants sous la
monarchie de Juillet.

La sortie du cloaque.

Illustration de Gustave Brion pour *les Misérables*.

son regard, encore voilé par l'étonnement léthargique, s'arrêta
sur M. Gillenormand.

— Marius! cria le vieillard. Marius! mon petit Marius! mon
enfant! mon fils bien-aimé! Tu ouvres les yeux, tu me
380 regardes, tu es vivant, merci!

Et il tomba évanoui. **(72) (73)**

LIVRE QUATRIÈME

JAVERT DÉRAILLÉ

I

JAVERT DÉRAILLÉ

Javert s'était éloigné à pas lents de la rue de l'Homme-
Armé.

Il marchait la tête baissée, pour la première fois de sa vie,
et, pour la première fois de sa vie également, les mains der-
5 rière le dos.

———— **QUESTIONS** ————

72. Comment le fait que le vieillard s'exprime d'une voix *sourde et éteinte* se
manifeste-t-il sur le plan stylistique? La fréquence des phrases exclamatives ne
peut-elle sembler en contradiction avec cette indication de l'auteur? En quoi est-
elle compensée par la brièveté des énoncés? leur caractère souvent haché? —
Quelle est l'organisation d'ensemble de cette nouvelle tirade? Sur quelle considération repose-t-elle? Par quel cheminement aboutit-elle à la dénonciation
d'adversaires politiques? à l'apitoiement sur soi-même? à l'agressivité envers
autrui? Qu'y a-t-il de mécanique dans ces différents enchaînements? En quoi
sont-ils caractéristiques de la psychologie du vieillard? — Comment le coup de
théâtre final est-il préparé? Par quel procédé se trouve-t-il mis en relief? Vous
paraît-il absolument indispensable?

73. SUR L'ENSEMBLE DU CHAPITRE XII. — Quelle idée vous faites-vous maintenant du vieux Gillenormand? En quoi réside l'incohérence de ses prises de
position politique? A quels détails en constatez-vous le caractère immotivé?
Ne le sent-on pas, d'ailleurs, prêt à les abandonner? Pour quelle raison?

— Le romancier vous donne-t-il l'impression de vouloir condamner le vieillard? En renie-t-il pour autant ses sympathies à l'égard des révolutionnaires?
Comment interprétez-vous son attitude? Quelle conception de l'homme et de la
vie nous laisse-t-elle supposer de sa part?

— Quel rôle attribuez-vous à ce chapitre? En quoi annonce-t-il le dénouement du drame familial? Dans quelle mesure prépare-t-il, de ce fait, le mariage
de Marius et Cosette?

Jusqu'à ce jour, Javert n'avait pris, dans les deux attitudes de Napoléon, que celle qui exprime la résolution, les bras croisés sur la poitrine ; celle qui exprime l'incertitude, les mains derrière le dos, lui était inconnue. Maintenant, un chan-
10 gement s'était fait ; toute sa personne, lente et sombre, était empreinte d'anxiété.

Il s'enfonça dans les rues silencieuses.

[...] Une nouveauté, une révolution, une catastrophe venait de se passer au fond de lui-même ; et il y avait de quoi
15 s'examiner.

Javert souffrait affreusement.

Depuis quelques heures Javert avait cessé d'être simple. Il était troublé ; ce cerveau, si limpide dans sa cécité, avait perdu sa transparence ; il y avait un nuage dans ce cristal. Javert
20 sentait dans sa conscience le devoir se dédoubler, et il ne pouvait se le dissimuler. Quand il avait rencontré si inopiné-ment Jean Valjean sur la berge de la Seine, il y avait eu en lui quelque chose du loup qui ressaisit sa proie et du chien qui retrouve son maître.

25 Il voyait devant lui deux routes également droites toutes deux ; mais il en voyait deux ; et cela le terrifiait, lui qui n'avait jamais connu dans sa vie qu'une ligne droite. Et, angoisse poignante, ces deux routes étaient contraires. L'une de ces deux lignes droites excluait l'autre. Laquelle des deux était la
30 vraie ?

Sa situation était inexprimable.

Devoir la vie à un malfaiteur, accepter cette dette et la rembourser, être, en dépit de soi-même, de plain-pied avec un repris de justice, et lui payer un service avec un autre service ;
35 se laisser dire : va-t'en, et lui dire à son tour : sois libre ; sacrifier à des motifs personnels le devoir, cette obligation générale, et sentir dans ces motifs personnels quelque chose de général aussi, et de supérieur peut-être ; trahir la société pour rester fidèle à sa conscience ; que toutes ces absurdités se
40 réalisassent et qu'elles vinssent s'accumuler sur lui-même, c'est ce dont il était atterré.

Une chose l'avait étonné, c'était que Jean Valjean lui eût fait grâce, et une chose l'avait pétrifié, c'était que, lui Javert, il eût fait grâce à Jean Valjean. **(74)**

————— **QUESTIONS** —————————————————

Questions 74, v. p. 109.

45 Où en était-il? Il se cherchait et ne se trouvait plus.

Que faire maintenant? Livrer Jean Valjean, c'était mal; laisser Jean Valjean libre, c'était mal. Dans le premier cas, l'homme de l'autorité tombait plus bas que l'homme du bagne; dans le second, un forçat montait plus haut que la loi et mettait
50 le pied dessus. Dans les deux cas, déshonneur pour lui Javert. Dans tous les partis qu'on pouvait prendre, il y avait de la chute. La destinée a de certaines extrémités à pic sur l'impossible et au-delà desquelles la vie n'est plus qu'un précipice. Javert était à une de ces extrémités-là.

55 Une de ses anxiétés, c'était d'être contraint de penser. La violence même de toutes ces émotions contradictoires l'y obligeait. La pensée, chose inusitée pour lui, et singulièrement douloureuse.

Il y a toujours dans la pensée une certaine quantité de
60 rébellion intérieure; et il s'irritait d'avoir cela en lui.

La pensée, sur n'importe quel sujet en dehors du cercle étroit de ses fonctions, eût été pour lui, dans tous les cas, une inutilité et une fatigue; mais la pensée sur la journée qui venait de s'écouler était une torture. Il fallait bien cependant regarder
65 dans sa conscience, après de telles secousses, et se rendre compte de soi-même à soi-même.

Ce qu'il venait de faire lui donnait le frisson. Il avait, lui Javert, trouvé bon de décider, contre tous les règlements de police, contre toute l'organisation sociale et judiciaire, contre
70 le code tout entier, une mise en liberté; cela lui avait convenu; il avait substitué ses propres affaires aux affaires publiques; n'était-ce pas inqualifiable? Chaque fois qu'il se mettait en face de cette action sans nom qu'il avait commise, il tremblait de la tête aux pieds. A quoi se résoudre? Une seule ressource

──────── **QUESTIONS** ────────

74. Quelle idée vous faites-vous du désarroi de Javert? A quelle évolution de son attitude le constatez-vous? Comment le narrateur souligne-t-il celle-ci? Le style du passage vous paraît-il en accord avec le trouble du personnage? Dans quelle mesure la brièveté des paragraphes vous semble-t-elle pouvoir traduire l'indécision? Un certain décousu dans les enchaînements ne suggère-t-il pas la difficulté d'une réflexion perturbée? — En quoi consiste la révolution qui s'est opérée en l'inspecteur? Par quelles images est-elle exprimée? Celles-ci n'assument-elles pas une double fonction? Ne correspondent-elles pas simultanément à une explication du présent et à une dénonciation du passé? — Définissez rapidement la situation du policier. L'image des deux lignes droites vous paraît-elle en rendre correctement compte? Que symbolisent-elles? Pourquoi mettent-elles bien en évidence l'impossibilité, pour Javert, de faire face à l'alternative proposée?

75 lui restait : retourner en hâte rue de l'Homme-Armé, et faire
écrouer Jean Valjean. Il était clair que c'était cela qu'il fallait
faire. Il ne pouvait.

Quelque chose lui barrait le chemin de ce côté-là.

Quelque chose? Quoi? Est-ce qu'il y a au monde autre
80 chose que les tribunaux, les sentences exécutoires, la police et
l'autorité? Javert était bouleversé.

Un galérien sacré! un forçat imprenable à la justice! et cela
par le fait de Javert!

Que Javert et Jean Valjean, l'homme fait pour sévir,
85 l'homme fait pour subir, que ces deux hommes, qui étaient l'un
et l'autre la chose de la loi, en fussent venus à ce point de se
mettre tous les deux au-dessus de la loi, est-ce que ce n'était
pas effrayant?

Quoi donc! de telles énormités arriveraient, et personne ne
90 serait puni! Jean Valjean, plus fort que l'ordre social tout
entier, serait libre, et lui Javert continuerait de manger le pain
du gouvernement! **(75)**

Sa rêverie devenait peu à peu terrible.

Il eût pu à travers cette rêverie se faire encore quelque
95 reproche au sujet de l'insurgé rapporté rue des Filles du Calvaire; mais il n'y songeait pas. La faute moindre se perdait
dans la plus grande. D'ailleurs cet insurgé était évidemment un
homme mort, et légalement, la mort éteint la poursuite.

Jean Valjean, c'était là le poids qu'il avait sur l'esprit.

100 Jean Valjean le déconcertait. Tous les axiomes qui avaient
été les points d'appui de toute sa vie s'écroulaient devant cet
homme. La générosité de Jean Valjean envers lui Javert l'ac-
cablait. D'autres faits, qu'il se rappelait et qu'il avait autrefois
traités de mensonges et de folies, lui revenaient maintenant
105 comme des réalités. M. Madeleine reparaissait derrière Jean
Valjean, et les deux figures se superposaient de façon à n'en

═══════════ **QUESTIONS** ═══════════

75. Les données du problème telles que les envisage Javert vous paraissent-
elles bien posées? Pour quelle raison? N'en sont-elles pas moins dans la logique
du caractère de l'inspecteur? Justifiez votre opinion à ce sujet. Comment le
policier se présente-t-il face à lui-même? En fonction de quels critères s'ac-
cuse-t-il et se juge-t-il? Est-il, ce faisant, cohérent? Pourquoi? — Victor Hugo
vous donne-t-il l'impression de prendre au sérieux le drame de son personnage?
Par quoi le manifeste-t-il? N'en marque-t-il pas moins ses distances à son égard?
Quelles critiques plus ou moins explicites formule-t-il? En quoi consistent à ses
yeux les limites de la réflexion de l'inspecteur? Que nous invite-t-il, implicitement, à opposer à la loi telle que la conçoit Javert?

plus faire qu'une, qui était vénérable. Javert sentait que
quelque chose d'horrible pénétrait dans son âme, l'admiration
pour un forçat. Le respect d'un galérien, est-ce que c'est
110 possible? Il en frémissait, et ne pouvait s'y soustraire. Il avait
beau se débattre, il était réduit à confesser dans son for intérieur la sublimité de ce misérable. Cela était odieux.

Un malfaiteur bienfaisant, un forçat compatissant, doux,
secourable, clément, rendant le bien pour le mal, rendant le
115 pardon pour la haine, préférant la pitié à la vengeance, aimant
mieux se perdre que de perdre son ennemi, sauvant celui qui
l'a frappé, agenouillé sur le haut de la vertu, plus voisin de
l'ange que de l'homme ; Javert était contraint de s'avouer que
ce monstre existait.

120 Cela ne pouvait durer ainsi. **(76) (77)**

[Javert rédige un rapport dans lequel il signale qu'il faudrait que,
« dans les occasions importantes, deux agents au moins ne se perdis-
sent pas de vue, attendu que, si, pour une cause quelconque, un agent
vient à faiblir dans le service, l'autre le surveille et le supplée ». Après
quoi, il se jette dans la Seine.]

LIVRE CINQUIÈME

LE PETIT-FILS ET LE GRAND-PÈRE

[Les dispositions de Marius n'ont pas changé : il est toujours décidé
à mourir plutôt qu'à vivre sans Cosette. S'attendant à une opposition
de la part de son grand-père, il s'apprête à la « guerre domestique »
après la « guerre civile ».]

─────────── **QUESTIONS** ───────────

76. Quel est l'effet prédominant de la conduite de Jean Valjean sur Javert? En
quoi le fait d'être déconcerté prend-il pour le policier une importance singulière?
A quoi aboutissent les réflexions de l'inspecteur? Quel intérêt présente à vos
yeux cette réhabilitation de Jean Valjean par son adversaire le plus déclaré? Où
nous mène la série d'oppositions sur laquelle se clôt cette méditation de Javert?
Quelle figure de Jean Valjean voyons-nous s'en dégager?

77. SUR L'ENSEMBLE DU CHAPITRE PREMIER. — En quoi la crise de conscience
de M. Madeleine et celle de Javert sont-elles comparables? Par quels aspects
diffèrent-elles, néanmoins, assez sensiblement? Quel était le fond du problème
pour le maire de Montreuil-sur-Mer?

— Le suicide du personnage vous semble-t-il inévitable? Pourquoi la disparition de Javert est-elle, de toute manière, indispensable?

— Toutes les difficultés de Jean Valjean ne devraient-elles pas être aplanies
par le dénouement de sa lutte avec Javert? N'est-ce pas lui qui, paradoxalement,
compliquera le déroulement de l'action?

III

MARIUS ATTAQUE

Un jour M. Gillenormand, tandis que sa fille mettait en ordre les fioles et les tasses sur le marbre de la commode, était penché sur Marius et lui disait de son accent le plus tendre :

— Vois-tu, mon petit Marius, à ta place je mangerais main-
5 tenant plutôt de la viande que du poisson. Une sole frite, cela est excellent pour commencer une convalescence, mais, pour mettre le malade debout, il faut une bonne côtelette.

Marius, dont presque toutes les forces étaient revenues, les rassembla, se dressa sur son séant, appuya ses deux poings
10 crispés sur les draps de son lit, regarda son grand-père en face, prit un air terrible, et dit :

— Ceci m'amène à vous dire une chose.

— Laquelle?

— C'est que je veux me marier.

15 — Prévu, dit le grand-père. Et il éclata de rire.

— Comment, prévu?

— Oui, prévu. Tu l'auras, ta fillette.

Marius, stupéfait et accablé par l'éblouissement, trembla de tous ses membres. **(78)**

20 M. Gillenormand continua :

— Oui, tu l'auras, ta belle jolie petite fille. Elle vient tous les jours sous la forme d'un vieux monsieur savoir de tes nouvelles. Depuis que tu es blessé, elle passe son temps à pleurer et à faire de la charpie. Je me suis informé. Elle
25 demeure rue de l'Homme-Armé, numéro sept. Ah, nous y voilà! Ah! tu la veux. Eh bien, tu l'auras. Ça t'attrape. Tu avais fait ton petit complot, tu t'étais dit : — Je vais lui signifier cela carrément à ce grand-père, à cette momie de la Régence et du Directoire, à cet ancien beau[91], à ce Dorante

---

91. *Beau :* nom que l'on donnait à un jeune homme à la mode.

───────── **QUESTIONS** ─────────────────

78. L'attitude de Marius vous semble-t-elle relever d'un comportement cohérent? Quelle explication en proposez-vous? Comment en comprenez-vous l'agressivité? Qu'a-t-elle de soigneusement calculé? A quels détails le remarquez-vous? — Le vieux Gillenormand est-il pris au dépourvu par la brusque attaque de son petit-fils? Sa réaction n'est-elle pas également préméditée? A quoi le devinez-vous? Quel effet se propose-t-elle? Y parvient-elle?

30 devenu Géronte[92], il a eu ses légèretés aussi, lui, et ses amou-
rettes, et ses grisettes[93], et ses Cosettes ; il a fait son frou-frou,
il a eu ses ailes, il a mangé du pain du printemps ; il faudra bien
qu'il s'en souvienne. Nous allons voir. Bataille, Ah ! tu prends
le hanneton par les cornes. C'est bon. Je t'offre une côtelette,
35 et tu me réponds : A propos, je veux me marier. C'est ça qui
est une transition ! Ah ! tu avais compté sur de la bisbille ! Tu
ne savais pas que j'étais un vieux lâché. Qu'est-ce que tu dis
de ça ? Tu bisques. Trouver ton grand-père encore plus bête
que toi, tu ne t'y attendais pas, tu perds le discours que tu
40 devais me faire, monsieur l'avocat, c'est taquinant. Eh bien,
tant pis, rage. Je fais ce que tu veux, ça te la coupe, imbécile !
Ecoute. J'ai pris des renseignements, moi aussi je suis sour-
nois ; elle est charmante, elle est sage, le lancier n'est pas
vrai[94], elle a fait des tas de charpie, c'est un bijou, elle t'adore,
45 si tu étais mort, nous aurions été trois ; sa bière aurait accom-
pagné la mienne. J'avais bien eu l'idée, dès que tu as été
mieux, de te la camper tout bonnement à ton chevet, mais il
n'y a que dans les romans qu'on introduit tout de go les jeunes
filles près du lit des jolis blessés qui les intéressent. Ça ne se
50 fait pas. Qu'aurait dit ta tante ? Tu étais tout nu les trois quarts
du temps, mon bonhomme. Demande à Nicolette, qui ne t'a
pas quitté une minute, s'il y avait moyen qu'une femme fût là.
Et puis qu'aurait dit le médecin ? Ça ne guérit pas la fièvre,
une jolie fille. Enfin, c'est bon, n'en parlons plus, c'est dit,
55 c'est fait, c'est bâclé, prends-la. Telle est ma férocité. Vois-tu,
j'ai vu que tu ne m'aimais pas, j'ai dit : Qu'est-ce que je
pourrais donc faire pour que cet animal-là m'aime ? J'ai dit :
Tiens, j'ai ma petite Cosette sous la main, je vais la lui donner,
il faudra bien qu'il m'aime alors un peu, ou qu'il dise pourquoi.
60 Ah ! tu croyais que le vieux allait tempêter, faire la grosse
voix, crier non, et lever la canne sur toute cette aurore. Pas du
tout. Cosette, soit ; amour, soit ; je ne demande pas mieux.
Monsieur, prenez la peine de vous marier. Sois heureux, mon
enfant bien-aimé.

65   Cela dit, le vieillard éclata en sanglots.

Et il prit la tête de Marius, et il la serra dans ses deux bras

---

92. Personnages de comédie. Dorante est le type du jeune homme galant, et Géronte celui
du vieillard ridicule ; **93.** *Grisette :* jeune ouvrière coquette et galante ; **94.** Allusion au fait que
le lancier Théodule Gillenormand, cousin de Marius, avait, par vantardise, laissé supposer
que Cosette était au nombre de ses conquêtes (voir IV, VIII, vi).

contre sa vieille poitrine, et tous deux se mirent à pleurer. C'est là une des formes du bonheur suprême.

— Mon père! s'écria Marius.

70 — Ah! tu m'aimes donc! dit le vieillard.

Il y eut un moment ineffable. Ils étouffaient et ne pouvaient parler. **(79)**

Enfin le vieillard bégaya :

— Allons! le voilà débouché. Il m'a dit : Mon père.

75 Marius dégagea sa tête des bras de l'aïeul, et dit doucement :

— Mais, mon père, à présent que je me porte bien, il me semble que je pourrais la voir.

— Prévu encore, tu la verras demain.

80 — Mon père!

— Quoi?

— Pourquoi pas aujourd'hui?

— Eh bien, aujourd'hui. Va pour aujourd'hui. Tu m'as dit trois fois « mon père », ça vaut bien ça. Je vais m'en occuper.

85 On te l'amènera. Prévu, te dis-je. Ceci a déjà été mis en vers. C'est le dénouement de l'élégie du *Jeune malade* d'André Chénier[95], qui a été égorgé par les scélér... — par les géants de 93.

M. Gillenormand crut apercevoir un léger froncement du

90 sourcil de Marius qui, en vérité, nous devons le dire, ne l'écoutait plus, envolé qu'il était dans l'extase, et pensant beaucoup plus à Cosette qu'à 1793. Le grand-père, tremblant d'avoir introduit si mal à propos André Chénier, reprit précipitamment :

---

95. Dans *le Jeune malade*, Chénier rapporte en effet l'histoire d'un jeune homme agonisant que sauve la promesse qu'il obtient d'épouser celle qu'il aime.

──────── **QUESTIONS** ────────

79. En quoi la tirade du vieil homme est-elle caractéristique de son tempérament bavard? Que manifeste-t-elle en outre? A quels détails vous en rendez-vous compte? En quoi ressemble-t-elle aux précédentes (voir chapitre XII, pages 102-105)? En quoi en diffère-t-elle? Quelle explication proposez-vous de ces remarques? — A quoi reconnaissez-vous la tendresse du grand-père pour son petit-fils? Etudiez de ce point de vue : la manière dont le vieillard se désigne lui-même; celle dont il parle de Marius et de Cosette. Quels traits de son caractère retrouvez-vous à travers ces différentes manifestations? Celles-ci ne traduisent-elles pas également une évolution sensible de son comportement? — Quels sont les effets de ce discours sur chacun des personnages en présence? Qu'y a-t-il de touchant et de vrai dans leur soudaine réconciliation? Que nous prouve-t-elle quant à leur brouille passée?

95 — Egorgé n'est pas le mot. Le fait est que les grands génies
révolutionnaires, qui n'étaient pas méchants, cela est incontestable, qui étaient des héros, pardi! trouvaient qu'André Chénier les gênait un peu, et qu'ils l'ont fait guillot... — C'est-à-
dire que ces grands hommes, le sept thermidor[96], dans l'intérêt
100 du salut public, ont prié André Chénier de vouloir bien aller...
M. Gillenormand, pris à la gorge par sa propre phrase, ne
put continuer, ne pouvant ni la terminer, ni la rétracter, pendant que sa fille arrangeait derrière Marius l'oreiller, bouleversé de tant d'émotions, le vieillard se jeta, avec autant de
105 vitesse que son âge le lui permit, hors de la chambre à coucher, en repoussa la porte derrière lui, et, pourpre, étranglant,
écumant, les yeux hors de la tête, se trouva nez à nez avec
l'honnête Basque qui cirait les bottes dans l'antichambre. Il
saisit Basque au collet et lui cria en plein visage avec fureur :
110 — Par les cent mille Javottes du diable, ces brigands l'ont
assassiné!
— Qui, monsieur?
— André Chénier!
— Oui, monsieur, dit Basque épouvanté. (80) (81)

[Marius et Cosette se revoient. Le mariage est décidé. La plus
grande partie des biens de M. Gillenormand étant en viager, le jeune
homme est à peu près sans fortune. Par bonheur, « Mademoiselle

96. Le 7 thermidor an II (7 juillet 1794).

————— QUESTIONS —————

80. Comment justifiez-vous ici l'introduction d'un élément de comique?
N'a-t-elle, à votre avis, d'autre intention que celle de proposer une détente au
lecteur après les scènes tragiques des précédents chapitres? — Le narrateur
vous semble-t-il viser à ridiculiser le vieux Gillenormand? Ne cherche-t-il pas
plutôt à lui attirer une certaine sympathie? Comment se manifeste l'émotion de
l'aïeul? l'effort que lui coûte son attitude conciliatrice? Quel brusque changement remarquez-vous dans le style de ses propos? dans celui de la narration? En
quoi souligne-t-il la force de son trouble? Dans cette optique, quelle portée
accordez-vous à la chute du passage?

81. SUR L'ENSEMBLE DU CHAPITRE III. — En quoi ce passage complète-t-il ce
que nous savions des caractères respectifs de chacun des personnages? Marius
vous semble-t-il être resté le même qu'avant l'épisode de la barricade? N'est-il
pas devenu plus sûr de lui? Comment se manifeste notamment sa détermination? Le tempérament du vieillard est-il, de son côté, demeuré inchangé? Quelle
évolution sensible remarquez-vous dans son attitude? Quelle explication proposez-vous de ces modifications?
— L'auteur marque-t-il une préférence quelconque pour l'un ou l'autre des
protagonistes? Pourquoi ne cherche-t-il pas à les départager? Qu'y a-t-il pour lui
d'important dans leur réconciliation?

Euphrasie Fauchelevent a six cent mille francs », que Jean Valjean présente comme « un legs fait [...] par une personne morte qui désirait rester inconnue ». Une ombre obscurcit pourtant le bonheur de Marius : celui-ci ne parvient à retrouver ni Thénardier, qui a sauvé son père, ni l'inconnu qui, de la barricade, l'a lui-même transporté chez son grand-père.]

LIVRE SIXIÈME

LA NUIT BLANCHE

[Le mariage a lieu le 16 février 1833. Jean Valjean s'esquive à l'issue de la cérémonie sans participer aux festivités. Un grave problème moral se pose au vieil homme : quelle attitude adoptera-t-il à l'égard du bonheur de Cosette et de Marius?]

LIVRE SEPTIÈME

LA DERNIÈRE GORGÉE DU CALICE

[Le lendemain du mariage, Jean Valjean va trouver Marius et lui avoue sa condition de forçat en rupture de ban. Il obtient du jeune homme, bouleversé par cette nouvelle, l'autorisation de continuer à voir Cosette.]

LIVRE HUITIÈME

LA DÉCROISSANCE CRÉPUSCULAIRE

[Pourtant, se sentant indésirable, Jean Valjean ne tarde pas à interrompre ses visites à la jeune femme.]

IV

L'ATTRACTION ET L'EXTINCTION

Pendant les derniers mois du printemps et les premiers mois de l'été de 1833, les passants clairsemés du Marais, les marchands des boutiques, les oisifs sur le pas des portes, remar-

quaient un vieillard proprement vêtu de noir, qui, tous les
5 jours, vers la même heure, à la nuit tombante, sortait de la rue
de l'Homme-Armé, du côté de la rue Sainte-Croix-de-Breton-
nerie, passait devant les Blancs-Manteaux, gagnait la rue
Culture-Sainte-Catherine, et, arrivé à la rue de l'Echarpe,
tournait à gauche, et entrait dans la rue Saint-Louis.

10   Là il marchait à pas lents, la tête tendue en avant, ne voyant
rien, n'entendant rien, l'œil immuablement fixé sur un point
toujours le même, qui semblait pour lui étoilé, et qui n'était
autre que l'angle de la rue des Filles du Calvaire. Plus il
approchait de ce coin de rue, plus son œil s'éclairait, une sorte
15 de joie illuminait ses prunelles comme une aurore intérieure, il
avait l'air fasciné et attendri, ses lèvres faisaient des mouvements obscurs, comme s'il parlait à quelqu'un qu'il ne voyait
pas, il souriait vaguement, et il avançait le plus lentement qu'il
pouvait. On eût dit que, tout en souhaitant d'arriver, il avait
20 peur du moment où il serait tout près. Lorsqu'il n'y avait plus
que quelques maisons entre lui et cette rue qui paraissait
l'attirer, son pas se ralentissait au point que par instants on
pouvait croire qu'il ne marchait plus. La vacillation de sa tête
et la fixité de sa prunelle faisaient songer à l'aiguille qui
25 cherche le pôle. Quelque temps qu'il mît à faire durer l'arrivée,
il fallait bien arriver ; il atteignait la rue des Filles du Calvaire ;
alors il s'arrêtait, il tremblait, il passait sa tête avec une sorte
de timidité sombre au-delà du coin de la dernière maison, et il
regardait dans cette rue, et il y avait dans ce tragique regard
30 quelque chose qui ressemblait à l'éblouissement de l'impossible et à la réverbération d'un paradis fermé. Puis une larme,
qui s'était peu à peu amassée dans l'angle des paupières,
devenue assez grosse pour tomber, glissait sur sa joue, et
quelquefois s'arrêtait à sa bouche. Le vieillard en sentait la
35 saveur amère. Il restait ainsi quelques minutes comme s'il eût
été de pierre ; puis il s'en retournait par le même chemin et du
même pas, et, à mesure qu'il s'éloignait, son regard s'éteignait.

    Peu à peu, ce vieillard cessa d'aller jusqu'à l'angle de la rue
des Filles du Calvaire ; il s'arrêtait à mi-chemin dans la rue
40 Saint-Louis ; tantôt un peu plus loin, tantôt un peu plus près.
Un jour, il resta au coin de la rue Culture-Sainte-Catherine et
regarda la rue des Filles du Calvaire de loin. Puis il hocha
silencieusement la tête de droite à gauche, comme s'il se
refusait quelque chose, et rebroussa chemin.

45 Bientôt il ne vint même plus jusqu'à la rue Saint-Louis. Il arrivait jusqu'à la rue Pavée, secouait le front, et s'en retournait ; puis il n'alla plus au-delà de la rue des Trois-Pavillons ; puis il ne dépassa plus les Blancs-Manteaux. On eût dit un pendule qu'on ne remonte plus et dont les oscillations s'abrè-
50 gent en attendant qu'elles s'arrêtent.

Tous les jours, il sortait de chez lui à la même heure, il entreprenait le même trajet, mais il ne l'achevait plus, et, peut-être sans qu'il en eût conscience, il le raccourcissait sans cesse. Tout son visage exprimait cette unique idée : A quoi
55 bon ? La prunelle était éteinte ; plus de rayonnement. La larme aussi était tarie ; elle ne s'amassait plus dans l'angle des paupières ; cet œil pensif était sec. La tête du vieillard était toujours tendue en avant ; le menton par moments remuait ; les plis de son cou maigre faisaient de la peine. Quelquefois,
60 quand le temps était mauvais, il avait sous le bras un parapluie, qu'il n'ouvrait point. Les bonnes femmes du quartier disaient : C'est un innocent. Les enfants le suivaient en riant. **(82)**

LIVRE NEUVIÈME

SUPRÊME OMBRE, SUPRÊME AURORE

[Jean Valjean dépérit. Deux choses le désespèrent : savoir que Marius, ayant des doutes sur l'origine de l'argent qu'il lui a remis, refuse de l'utiliser ; et mourir sans avoir revu Cosette.]

——————— **QUESTIONS** ———————————————————

82. Comment nous est présenté le personnage dont le comportement curieux fait l'objet de ce chapitre ? Par quels procédés le narrateur parvient-il à éveiller notre curiosité, puis à retenir notre attention ? Quel sentiment à l'égard du vieillard cherche-t-il à faire naître chez son lecteur ? Sur quelles observations fondez-vous votre opinion ? — L'importance de cette promenade apparemment sans objet nous est-elle révélée ? Ne nous est-elle pas, néanmoins, suggérée avec une certaine insistance ? Par quels moyens ? — La conduite du vieil homme ne paraît-elle pas déraisonnable ? Qu'est-ce qui en accentue progressivement l'absurdité ? Prête-t-elle, pour autant, à sourire ? Pourquoi le personnage ne donne-t-il à aucun moment l'impression d'être ridicule ? — Comment interprétez-vous le souci de l'auteur de nous situer la scène dans une chronologie et une topographie rigoureuses ? Quelle en est la double conséquence ? Pour quelles raisons le narrateur a-t-il tenu à souligner la crédibilité de l'épisode ? à dévoiler indirectement l'identité du personnage ? — Par quels yeux nous fait-il maintenant voir Jean Valjean ? Le procédé ne se veut-il pas significatif d'un certain état d'abandon ? Justifiez votre réponse.

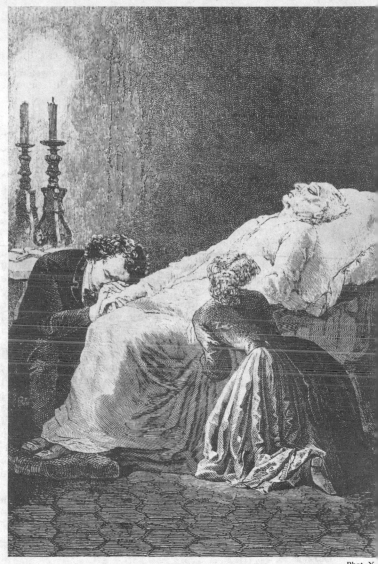

La mort de M. Madeleine.

IV

BOUTEILLE D'ENCRE QUI NE RÉUSSIT QU'À BLANCHIR

[Cependant, le baron Pontmercy reçoit la visite d'un mystérieux personnage qui prétend avoir un secret à lui vendre. Il reconnaît Thénardier.]

Marius rompit le silence.

— Thénardier, je vous ai dit votre nom. A présent, votre secret, ce que vous veniez m'apprendre, voulez-vous que je vous le dise? J'ai mes informations aussi, moi. Vous allez voir
5 que j'en sais plus long que vous. Jean Valjean, comme vous l'avez dit, est un assassin et un voleur. Un voleur, parce qu'il a volé un riche manufacturier dont il a causé la ruine, M. Madeleine. Un assassin, parce qu'il a assassiné l'agent de police Javert.

10 — Je ne comprends pas, monsieur le baron, fit Thénardier.

— Je vais me faire comprendre. Ecoutez. Il y avait, dans un arrondissement du Pas-de-Calais, vers 1822, un homme qui avait eu quelque ancien démêlé avec la justice, et qui, sous le nom de M. Madeleine, s'était relevé et réhabilité. Cet homme
15 était devenu dans toute la force du terme un juste. Avec une industrie, la fabrique des verroteries noires, il avait fait la fortune de toute une ville. Quant à sa fortune personnelle, il l'avait faite aussi, mais secondairement et, en quelque sorte, par occasion. Il était le père nourricier des pauvres. Il fondait
20 des hôpitaux, ouvrait des écoles, visitait les malades, dotait les filles, soutenait les veuves, adoptait les orphelins ; il était comme le tuteur du pays. Il avait refusé la croix, on l'avait nommé maire. Un forçat libéré savait le secret d'une peine encourue autrefois par cet homme ; il le dénonça et le fit
25 arrêter, et profita de l'arrestation pour venir à Paris et se faire remettre par le banquier Laffitte, — je tiens les faits du caissier lui-même, — au moyen d'une fausse signature, une somme de plus d'un demi-million qui appartenait à M. Madeleine. Ce forçat qui a volé M. Madeleine, c'est Jean Valjean. Quant à
30 l'autre fait, vous n'avez rien non plus à m'apprendre. Jean Valjean a tué l'agent Javert ; il l'a tué d'un coup de pistolet. Moi qui vous parle, j'étais présent. (83)

—————— QUESTIONS ——————————

Questions 83, v. p. 121.

Thénardier jeta à Marius le coup d'œil souverain d'un
homme battu qui remet la main sur la victoire et qui vient de
35 regagner en une minute tout le terrain qu'il avait perdu. Mais
le sourire revint tout de suite ; l'inférieur vis-à-vis du supérieur
doit avoir le triomphe câlin, et Thénardier se borna à dire à
Marius :

— Monsieur le baron, nous faisons fausse route.

40 Et il souligna cette phrase en faisant faire à son trousseau de
breloques un moulinet expressif.

— Quoi ! repartit Marius, contestez-vous cela ? Ce sont des
faits.

— Ce sont des chimères. La confiance dont monsieur le
45 baron m'honore me fait un devoir de le lui dire. Avant tout la
vérité et la justice. Je n'aime pas voir accuser les gens injuste-
ment. Monsieur le baron, Jean Valjean n'a point volé
M. Madeleine, et Jean Valjean n'a point tué Javert.

— Voilà qui est fort ! Comment cela ?

50 — Pour deux raisons.

— Lesquelles ? Parlez.

— Voici la première : il n'a pas volé M. Madeleine, attendu
que c'est lui-même Jean Valjean qui est M. Madeleine.

— Que me contez-vous là ?

55 — Et voici la seconde : il n'a pas assassiné Javert, attendu
que celui qui a tué Javert, c'est Javert.

— Que voulez-vous dire !

— Que Javert s'est suicidé.

— Prouvez ! prouvez ! cria Marius hors de lui.

60 Thénardier reprit en scandant sa phrase à la façon d'un
alexandrin antique :

— L'agent-de-police-Ja-vert-a-été-trouvé-no-yé-sous-un-
bateau-du-Pont-au-Change.

— Mais prouvez donc !

65 Thénardier tira de sa poche du côté une large enveloppe de
papier gris qui semblait contenir des feuilles pliées de diverses
grandeurs.

———————— QUESTIONS ————————

83. Pourquoi Marius entreprend-il ainsi de renseigner Thénardier ? Ne va-t-il
pas obtenir un résultat diamétralement opposé à celui qu'il attend ? Comment le
jeune homme se représente-t-il M. Madeleine ? Qu'y a-t-il de paradoxal dans son
opinion ? Ne contient-elle pas déjà, en germe, la réhabilitation de Jean Valjean ?
— Marius vous paraît-il correctement renseigné sur les événements de Montreuil-sur-Mer ? N'est-il pas peu vraisemblable qu'il ignore l'identité de
M. Madeleine ? Pourquoi l'auteur a-t-il voulu le laisser dans l'erreur à ce sujet ?

— J'ai mon dossier, dit-il avec calme.

Et il ajouta :

70 — Monsieur le baron, dans votre intérêt, j'ai voulu connaître à fond Jean Valjean. Je dis que Jean Valjean et Madeleine, c'est le même homme, et je dis que Javert n'a eu d'autre assassin que Javert, et quand je parle, c'est que j'ai des preuves. Non des preuves manuscrites, l'écriture est suspecte, 75 l'écriture est complaisante, mais des preuves imprimées.

Tout en parlant, Thénardier extrayait de l'enveloppe deux numéros de journaux jaunis, fanés et fortement saturés de tabac. L'un de ces deux journaux, cassé à tous les plis et tombant en lambeaux carrés, semblait beaucoup plus ancien 80 que l'autre.

— Deux faits, deux preuves, fit Thénardier. Et il tendit à Marius les deux journaux déployés.

Ces deux journaux, le lecteur les connaît. L'un, le plus ancien, un numéro du *Drapeau blanc*[97] du 25 juillet 1823, dont 85 on a pu voir le texte à la page 172 du tome troisième de ce livre[98], établissait l'identité de M. Madeleine et de Jean Valjean. L'autre, un *Moniteur*[99] du 15 juin 1832, constatait le suicide de Javert, ajoutant qu'il résultait d'un rapport verbal de Javert au préfet que, fait prisonnier dans la barricade de la rue 90 de la Chanvrerie, il avait dû la vie à la magnanimité d'un insurgé qui, le tenant sous son pistolet, au lieu de lui brûler la cervelle, avait tiré en l'air. **(84)**

Marius lut. Il y avait évidence, date certaine, preuve irréfragable, ces deux journaux n'avaient pas été imprimés exprès

---

97. *Le Drapeau blanc* : quotidien ultra-royaliste publié, à l'époque dont il est question, par l'écrivain Martainville (1776-1830), qui l'avait fondé en 1818 ; **98.** Voir II, II, 1 ; **99.** *Le Moniteur* : journal officiel pour la publication des actes gouvernementaux depuis le 28 décembre 1799.

──────── **QUESTIONS** ────────────────────

84. Comment Thénardier nous apparaît-il dans ce passage? A quoi remarquez-vous sa rouerie? sa confiance en lui? Qu'y a-t-il de flatteur et de servile dans ses propos? Son ton n'en demeure-t-il pas moins catégorique? Appuyez votre réponse sur un ou deux exemples. — Quelle est, dans cette scène, la part du vraisemblable et de l'invraisemblable? Est-il logique que l'enquête de Thénardier ait été plus rigoureuse que celle de Marius? Le malfaiteur avait-il, d'autre part, la moindre raison de se renseigner sur Javert? Dans quelle mesure Hugo sacrifie-t-il aux nécessités d'un dénouement rapide? En quoi est-il gêné par les complications de son intrigue? — Les preuves apportées par Thénardier sont-elles convaincantes? Ne répondent-elles pas aux deux questions que Marius se posait à propos de Jean Valjean? Quel effet ne peuvent-elles manquer de produire sur le jeune homme?

95 pour appuyer les dires de Thénardier : la note publiée dans le
Moniteur était communiquée administrativement par la préfec-
ture de police. Marius ne pouvait douter. Les renseignements
du commis-caissier[100] étaient faux, et lui-même s'était trompé.
Jean Valjean, grandi brusquement, sortait du nuage. Marius ne
100 put retenir un cri de joie :

    — Eh bien alors, ce malheureux est un admirable homme!
toute cette fortune était vraiment à lui! c'est Madeleine, la
providence de tout un pays! c'est Jean Valjean, le sauveur de
Javert! c'est un héros! c'est un saint!

105   — Ce n'est pas un saint, et ce n'est pas un héros, dit
Thénardier. C'est un assassin et un voleur.

    Et il ajouta du ton d'un homme qui commence à se sentir
quelque autorité : — Calmons-nous.

    Voleur, assassin, ces mots que Marius croyait disparus et
110 qui revenaient, tombèrent sur lui comme une douche de glace.

    — Encore, dit-il.

    — Toujours, fit Thénardier. Jean Valjean n'a pas volé
Madeleine, mais c'est un voleur. Il n'a pas tué Javert, mais
c'est un meurtrier.

115   — Voulez-vous parler, reprit Marius, de ce misérable vol
d'il y a quarante ans, expié, cela résulte de vos journaux
mêmes, par toute une vie de repentir, d'abnégation et de
vertu?

    — Je dis assassinat et vol, monsieur le baron. Et je répète
120 que je parle de faits actuels. Ce que j'ai à vous révéler est
absolument inconnu. C'est de l'inédit. Et peut-être y trouve-
rez-vous la source de la fortune habilement offerte par Jean
Valjean à madame la baronne. Je dis habilement, car, par une
donation de ce genre, se glisser dans une honorable maison
125 dont on partagera l'aisance, et, du même coup, cacher son
crime, jouir de son vol, enfouir son nom, et se créer une
famille, ce ne serait pas très maladroit.

    — Je pourrais vous interrompre ici, observa Marius, mais
continuez.

130   — Monsieur le baron, je vais dire tout, laissant la récompense à votre générosité. Ce secret vaut de l'or massif. Vous
me direz : pourquoi ne t'es-tu pas adressé à Jean Valjean? Par
une raison toute simple : je sais qu'il s'est dessaisi, et dessaisi

---

    100. Allusion à un ancien caissier de la banque Laffitte (où M. Madeleine avait déposé ses
économies), qui, au hasard d'un procès, a fourni à Marius « de mystérieux renseignements »
(voir V, IX, 1).

en votre faveur, et je trouve la combinaison ingénieuse ; mais il
135 n'a plus le sou, il me montrerait ses mains vides, et, puisque
j'ai besoin de quelque argent pour mon voyage à la Joya, je
vous préfère, vous qui avez tout, à lui qui n'a rien. Je suis un
peu fatigué, permettez-moi de prendre une chaise.

Marius s'assit et lui fit signe de s'asseoir. **(85)**

140   Thénardier s'installa sur une chaise capitonnée, reprit les
deux journaux, les replongea dans l'enveloppe, et murmura en
becquetant avec son ongle le *Drapeau blanc* : celui-ci m'a
donné du mal pour l'avoir. Cela fait, il croisa les jambes et
s'étala sur le dos, attitude propre aux gens sûrs de ce qu'ils
145 disent, puis entra en matière, gravement et en appuyant sur les
mots :

— Monsieur le baron, le 6 juin 1832, il y a un an environ, le
jour de l'émeute, un homme était dans le Grand Egout de
Paris, du côté où l'égout vient rejoindre la Seine, entre le pont
150 des Invalides et le pont d'Iéna.

Marius rapprocha brusquement sa chaise de celle de Thénardier. Thénardier remarqua ce mouvement et continua avec
la lenteur d'un orateur qui tient son interlocuteur et qui sent la
palpitation de son adversaire sous ses paroles :

155   — Cet homme, forcé de se cacher, pour des raisons du
reste étrangères à la politique, avait pris l'égout pour domicile
et en avait une clef. C'était, je le répète, le 6 juin ; il pouvait
être huit heures du soir. L'homme entendit du bruit dans
l'égout. Très surpris, il se blottit, et guetta. C'était un bruit de
160 pas, on marchait dans l'ombre, on venait de son côté. Chose
étrange, il y avait dans l'égout un autre homme que lui. La
grille de sortie de l'égout n'était pas loin. Un peu de lumière
qui en venait lui permit de reconnaître le nouveau venu et de
voir que cet homme portait quelque chose sur son dos. Il

QUESTIONS

85. Quelle importance accordez-vous à la première réaction de Marius devant
les preuves de l'innocence de Jean Valjean? Sa joie ne peut-elle, dans une
certaine mesure, servir d'excuse à son ingratitude? Sous quel jour son attitude à
l'égard du vieillard vous apparaît-elle désormais? Jusqu'à quel point vous semble-t-elle justifiée? — Quel effet produit ce nouveau coup de théâtre? N'a-t-il
pas été soigneusement préparé? Vous paraît-il vraisemblable? Pourquoi est-il
logique que Thénardier ménage ses effets? Dans quelle mesure le comportement
de Marius lui-même a-t-il pu l'y inciter? — Comment se manifeste le fait que
Thénardier se sente *quelque autorité?* Le ton de ses propos change-t-il sensiblement? A quoi l'observez-vous? N'est-ce pas, paradoxalement, le moment où il
recommence à se tromper? Est-il possible de supposer une légère trace d'ironie
de la part de l'auteur sous ces coups de théâtre successifs?

165 marchait courbé. L'homme qui marchait courbé était un
ancien forçat, et ce qu'il traînait sur ses épaules était un
cadavre. Flagrant délit d'assassinat, s'il en fut. Quant au vol, il
va de soi ; on ne tue pas un homme gratis. Ce forçat allait jeter
ce cadavre à la rivière. Un fait à noter, c'est qu'avant d'arriver
170 à la grille de sortie, ce forçat, qui venait de loin dans l'égout,
avait nécessairement rencontré une fondrière épouvantable où
il semble qu'il eût pu laisser le cadavre, mais dès le lendemain,
les égoutiers, en travaillant à la fondrière, y auraient retrouvé
l'homme assassiné, et ce n'était pas le compte de l'assassin. Il
175 avait mieux aimé traverser la fondrière, avec son fardeau, et
ses efforts ont dû être effrayants, il est impossible de risquer
plus complètement sa vie ; je ne comprends pas qu'il soit sorti
de là vivant.

La chaise de Marius se rapprocha encore. Thénardier en
180 profita pour respirer longuement. Il poursuivit :

— Monsieur le baron, un égout n'est pas le Champ de
Mars. On y manque de tout, et même de place. Quand deux
hommes sont là, il faut qu'ils se rencontrent. C'est ce qui
arriva. Le domicilié et le passant furent forcés de se dire
185 bonjour, à regret l'un et l'autre. Le passant dit au domicilié :
— *Tu vois ce que j'ai sur le dos, il faut que je sorte, tu as la
clef, donne-la-moi.* Ce forçat était un homme d'une force
terrible. Il n'y avait pas à refuser. Pourtant celui qui avait la
clef parlementa, uniquement pour gagner du temps. Il examina
190 ce mort, mais il ne put rien voir, sinon qu'il était jeune, bien
mis, l'air d'un riche, et tout défiguré par le sang. Tout en
causant, il trouva moyen de déchirer et d'arracher par-der-
rière, sans que l'assassin s'en aperçût, un morceau de l'habit
de l'homme assassiné. Pièce à conviction, vous comprenez ;
195 moyen de ressaisir la trace des choses et de prouver le crime
au criminel. Il mit la pièce à conviction dans sa poche. Après
quoi il ouvrit la grille, fit sortir l'homme avec son embarras sur
le dos, referma la grille et se sauva, se souciant peu d'être
mêlé au surplus de l'aventure et surtout ne voulant pas être là
200 quand l'assassin jetterait l'assassiné à la rivière. Vous comprenez à présent. Celui qui portait le cadavre, c'est Jean Valjean ;
celui qui avait la clef vous parle en ce moment ; et le morceau
de l'habit...

Thénardier acheva la phrase en tirant de sa poche et en
205 tenant, à la hauteur de ses yeux, pincé entre ses deux pouces

et ses deux index, un lambeau de drap noir déchiqueté, tout
couvert de taches sombres. **(86)**

Marius s'était levé, pâle, respirant à peine, l'œil fixé sur le
morceau de drap noir, et, sans prononcer une parole, sans
210 quitter ce haillon du regard, il reculait vers le mur et, de sa
main droite étendue derrière lui, cherchait en tâtonnant sur la
muraille une clef qui était à la serrure d'un placard près de la
cheminée. Il trouva cette clef, ouvrit le placard, et y enfonça
son bras sans y regarder, et sans que sa prunelle effarée se
215 détachât du chiffon que Thénardier tenait déployé.

Cependant Thénardier continuait :

— Monsieur le baron, j'ai les plus fortes raisons de croire
que le jeune homme assassiné était un opulent étranger attiré
par Jean Valjean dans un piège et porteur d'une somme
220 énorme.

— Le jeune homme était moi, et voici l'habit! cria Marius,
et il jeta sur le parquet un vieil habit noir tout sanglant.

Puis, arrachant le morceau des mains de Thénardier, il
s'accroupit sur l'habit, et rapprocha du pan déchiqueté le
225 morceau déchiré. La déchirure s'adaptait exactement, et le
lambeau complétait l'habit.

Thénardier était pétrifié. Il pensa ceci : Je suis épaté.

Marius se redressa frémissant, désespéré, rayonnant.

Il fouilla dans sa poche, et marcha, furieux, vers Thénardier,
230 lui présentant et lui appuyant presque sur le visage son poing
rempli de billets de cinq cents francs et de mille francs.

— Vous êtes un infâme! vous êtes un menteur, un calom-
niateur, un scélérat. Vous veniez accuser cet homme, vous
l'avez justifié ; vous vouliez le perdre, vous n'avez réussi qu'à
235 le glorifier. Et c'est vous qui êtes un voleur! Et c'est vous qui
êtes un assassin! Je vous ai vu, Thénardier Jondrette, dans ce

---

QUESTIONS

86. Caractérisez l'attitude présente de Thénardier. Comment se manifeste-t-elle dans son comportement? dans ses propos? Quelle évolution remarquez-vous dans le ton de ses paroles? dans la tenue de son discours? Cet étalage
de confiance en soi n'a-t-il d'autre but que de renseigner le lecteur sur la
psychologie du personnage? — La relation des faits proposée par Thénardier
est-elle conforme à la réalité? De quelle nature en sont les inexactitudes? En
est-il d'involontaires? Citez la plus remarquable. D'autres, en revanche, ne
sont-elles pas indiscutablement voulues? Lesquelles? Dans quel sens la vérité
est-elle exclusivement déformée? Qu'en concluez-vous? — Pourquoi Thénardier
fait-il état du passage de la fondrière? Ce détail est-il, compte tenu de sa visite,
utile à son récit? N'est-il pas surtout indispensable à la poursuite de l'action?

bouge du boulevard de l'Hôpital. J'en sais assez sur vous pour vous envoyer au bagne, et plus loin même, si je voulais. Tenez, voilà mille francs, sacripant que vous êtes!

240 Et il jeta un billet de mille francs à Thénardier.

— Ah! Jondrette Thénardier, vil coquin! Que ceci vous serve de leçon, brocanteur de secrets, marchand de mystères, fouilleur de ténèbres, misérable! Prenez ces cinq cents francs, et sortez d'ici! Waterloo vous protège.

245 — Waterloo! grommela Thénardier, en empochant les cinq cents francs avec les mille francs.

— Oui, assassin! vous y avez sauvé la vie à un colonel...

— A un général, dit Thénardier, en relevant la tête.

— A un colonel! reprit Marius avec emportement. Je ne 250 donnerais pas un liard pour un général. Et vous veniez ici faire des infamies! Je vous dis que vous avez commis tous les crimes. Partez! disparaissez! Soyez heureux seulement, c'est tout ce que je désire. Ah! monstre! Voilà encore trois mille francs. Prenez-les. Vous partirez dès demain, pour l'Amé- 255 rique, avec votre fille; car votre femme est morte, abominable menteur. Je veillerai à votre départ, bandit, et je vous compterai à ce moment là vingt mille francs. Allez vous faire pendre ailleurs!

— Monsieur le baron, répondit Thénardier en saluant jus- 260 qu'à terre, reconnaissance éternelle. (87) (88)

[Marius et Cosette se jettent dans un fiacre et se rendent rue de l'Homme-Armé, nº 7.]

————— **QUESTIONS** —————

87. Comment se manifeste au début de ce passage la vive émotion ressentie par Marius? Que prouve la présence de l'habit déchiré dans un placard du bureau du jeune homme? — A quel souci attribuez-vous la rapidité du dénouement de cette scène? Vous apprécierez l'habileté du narrateur tantôt à ménager, tantôt à précipiter ses effets. — Comment s'explique l'attitude de Marius à l'égard de son visiteur? Ce dernier peut-il la comprendre? Pourquoi? Connaît-il exactement l'identité de Marius? Quel détail du passage vous le prouve? Le fait ne peut-il pas, malgré tout, paraître surprenant?

88. SUR L'ENSEMBLE DU CHAPITRE IV. — Enumérez les coups de théâtre successifs rencontrés au cours de ce chapitre. Cette répétition ne risque-t-elle pas, à la longue, d'engendrer la monotonie? Dans quelle mesure l'humour de l'auteur peut-il être interprété comme une discrète indication de l'ironie du sort? En quoi Thénardier peut-il représenter un agent aveugle de la Providence?

— La scène présentée dans ce passage n'était-elle pas, d'une certaine manière, attendue? Pourquoi a-t-elle été retardée jusqu'ici? Comment le romancier, au terme de son ouvrage, est-il parvenu à concentrer toute l'attention du lecteur sur le personnage de Jean Valjean?

NUIT DERRIÈRE LAQUELLE IL Y A LE JOUR

Au coup qu'il entendit frapper à sa porte, Jean Valjean se retourna.

— Entrez, dit-il faiblement.

La porte s'ouvrit. Cosette et Marius parurent.

265 Cosette se précipita dans la chambre.

Marius resta sur le seuil, debout, appuyé contre le montant de la porte.

— Cosette! dit Jean Valjean, et il se dressa sur sa chaise, les bras ouverts et tremblants, hagard, livide, sinistre, une joie
270 immense dans les yeux.

Cosette, suffoquée d'émotion, tomba sur la poitrine de Jean Valjean.

— Père! dit-elle.

Jean Valjean, bouleversé, bégayait :

275 — Cosette! elle! vous, madame! c'est toi! Ah mon Dieu!

Et, serré dans les bras de Cosette, il s'écria :

— C'est toi! tu es là! Tu me pardonnes donc!

Marius, baissant les paupières pour empêcher ses larmes de couler, fit un pas et murmura entre ses lèvres contractées
280 convulsivement pour arrêter les sanglots :

— Mon père!

— Et vous aussi, vous me pardonnez! dit Jean Valjean.

Marius ne put trouver une parole, et Jean Valjean ajouta :
— Merci.

285 Cosette arracha son châle et jeta son chapeau sur le lit.

— Cela me gêne, dit-elle.

Et, s'asseyant sur les genoux du vieillard, elle écarta ses cheveux blancs d'un mouvement adorable, et lui baisa le front.

Jean Valjean se laissait faire, égaré.

290 Cosette, qui ne comprenait que très confusément, redoublait ses caresses, comme si elle voulait payer la dette de Marius. (89)

──────── **QUESTIONS** ────────

89. En quoi consiste le pathétique de la scène sur laquelle s'ouvre ce chapitre? Marius et Cosette n'ont-ils pas beaucoup à se faire pardonner du vieil homme? L'attitude de Jean Valjean ne tend-elle pas à renverser les rôles? Pourquoi le romancier le fait-il agir ainsi? Quelle impression veut-il donner de son personnage au seuil de la mort?

Jean Valjean balbutiait :

— Comme on est bête! Je croyais que je ne la verrais plus.
295 Figurez-vous, monsieur Pontmercy, qu'au moment où vous
êtes entré, je me disais : C'est fini. Voilà sa petite robe, je suis
un misérable homme, je ne verrai plus Cosette, je disais cela
au moment même où vous montiez l'escalier. Etais-je idiot!
Voilà comme on est idiot! Mais on compte sans le bon Dieu.
300 Le bon Dieu dit : Tu t'imagines qu'on va t'abandonner, bêta!
Non. Non, ça ne se passera pas comme ça. Allons, il y a là un
pauvre bonhomme qui a besoin d'un ange. Et l'ange vient; et
l'on revoit sa Cosette! et l'on revoit sa petite Cosette! Ah!
j'étais bien malheureux.

305   Il fut un moment sans pouvoir parler, puis il poursuivit :

— J'avais vraiment besoin de voir Cosette une petite fois de
temps en temps. Un cœur, cela veut un os à ronger. Cependant je sentais bien que j'étais de trop. Je me donnais des
raisons : ils n'ont pas besoin de toi, reste dans ton coin, on n'a
310 pas le droit de s'éterniser. Ah! Dieu béni, je la revois! Sais-tu,
Cosette, que ton mari est très beau? Ah! tu as un joli col
brodé, à la bonne heure. J'aime ce dessin-là. C'est ton mari qui
l'a choisi, n'est-ce pas? Et puis, il te faudra des cachemires.
Monsieur Pontmercy, laissez-moi la tutoyer[101]. Ce n'est pas
315 pour longtemps.

Et Cosette reprenait :

— Quelle méchanceté de nous avoir laissés comme cela!
Où êtes-vous donc allé? pourquoi avez-vous été si longtemps?
Autrefois vos voyages ne duraient pas plus de trois ou quatre
320 jours. J'ai envoyé Nicolette, on répondait toujours : il est
absent. Depuis quand êtes-vous revenu? Pourquoi ne pas nous
l'avoir fait savoir? Savez-vous que vous êtes très changé? Ah!
le vilain père! il a été malade, et nous ne l'avons pas su! Tiens,
Marius, tâte sa main comme elle est froide!

325   — Ainsi vous voilà! Monsieur Pontmercy, vous me pardonnez! répéta Jean Valjean. (**90**)

---

101. Après le mariage, Jean Valjean a cessé de tutoyer Cosette et ne l'a plus appelée que
Madame (voir V, VII, 1).

■ QUESTIONS

---

90. A quoi reconnaissez-vous l'humilité de Jean Valjean? Comment le vieillard juge-t-il son attachement pour Cosette? Quelle attitude adopte-t-il envers
les jeunes gens? Quels détails vous semblent manifester la piété du mourant? —
Comment s'exprime la gentillesse de Cosette à l'égard de Jean Valjean?

A ce mot, que Jean Valjean venait de redire, tout ce qui se gonflait dans le cœur de Marius trouva une issue, il éclata :

— Cosette, entends-tu? il en est là! il me demande pardon.
330 Et sais-tu ce qu'il m'a fait, Cosette? Il m'a sauvé la vie. Il a fait plus. Il t'a donnée à moi. Et, après m'avoir sauvé, et après t'avoir donnée à moi, Cosette, qu'a-t-il fait de lui-même? il s'est sacrifié. Voilà l'homme. Et, à moi l'ingrat, à moi l'oublieux, à moi l'impitoyable, à moi le coupable, il me dit :
335 Merci! Cosette, toute ma vie passée aux pieds de cet homme, ce sera trop peu. Cette barricade, cet égout, cette fournaise, ce cloaque, il a tout traversé pour moi, pour toi, Cosette! Il m'a emporté à travers toutes les morts qu'il écartait de moi et qu'il acceptait pour lui. Tous les courages, toutes les vertus, tous
340 les héroïsmes, toutes les saintetés, il les a. Cosette, cet homme-là, c'est l'ange!

— Chut! chut! dit tout bas Jean Valjean. Pourquoi dire tout cela?

— Mais vous! s'écria Marius, avec une colère où il y avait
345 de la vénération, pourquoi ne l'avez-vous pas dit? C'est votre faute aussi. Vous sauvez la vie aux gens, et vous le leur cachez! Vous faites plus, sous prétexte de vous démasquer, vous vous calomniez. C'est affreux.

— J'ai dit la vérité, répondit Jean Valjean.

350 — Non, reprit Marius, la vérité, c'est toute la vérité; et vous ne l'avez pas dite. Vous étiez monsieur Madeleine, pourquoi ne pas l'avoir dit? Vous aviez sauvé Javert, pourquoi ne pas l'avoir dit? Je vous devais la vie, pourquoi ne pas l'avoir dit?

355 — Parce que je pensais comme vous. Je trouvais que vous aviez raison. Il fallait que je m'en allasse. Si vous aviez su cette affaire de l'égout, vous m'auriez fait rester près de vous. Je devais donc me taire. Si j'avais parlé, cela aurait tout gêné.

— Gêné quoi! gêné qui! repartit Marius. Est-ce que vous
360 croyez que vous allez rester ici? Nous vous emmenons. Ah! mon Dieu! quand je pense que c'est par hasard que j'ai appris tout cela! Nous vous emmenons. Vous faites partie de nous-mêmes. Vous êtes son père et le mien. Vous ne passerez pas dans cette affreuse maison un jour de plus. Ne vous figurez
365 pas que vous serez demain ici.

— Demain, dit Jean Valjean, je ne serai pas ici, mais je ne serai pas chez vous.

— Que voulez-vous dire? répliqua Marius. Ah çà, nous ne permettons plus de voyage. Vous ne nous quitterez plus. Vous
370 nous appartenez. Nous ne vous lâchons pas.

— Cette fois-ci, c'est pour de bon, ajouta Cosette. Nous avons une voiture en bas. Je vous enlève. S'il le faut, j'emploierai la force.

Et, riant, elle fit le geste de soulever le vieillard dans ses
375 bras. (91)

— Il y a toujours votre chambre dans notre maison, poursuivit-elle. Si vous saviez comme le jardin est joli dans ce moment-ci! Les azalées y viennent très bien. Les allées sont sablées avec du sable de rivière : il y a de petits coquillages
380 violets. Vous mangerez de mes fraises. C'est moi qui les arrose. Et plus de madame, et plus de monsieur Jean, nous sommes en république, tout le monde se dit *tu*, n'est-ce pas, Marius? Le programme est changé. Si vous saviez, père, j'ai eu un chagrin, il y avait un rouge-gorge qui avait fait son nid
385 dans un trou du mur, un horrible chat me l'a mangé. Mon pauvre joli petit rouge-gorge qui mettait sa tête à sa fenêtre et qui me regardait! J'en ai pleuré. J'aurais tué le chat! Mais maintenant personne ne pleure plus. Tout le monde rit, tout le monde est heureux. Vous allez venir avec nous. Comme le
390 grand-père va être content! Vous aurez votre carré dans le jardin, vous le cultiverez, et nous verrons si vos fraises sont aussi belles que les miennes. Et puis je ferai tout ce que vous voudrez, et puis, vous m'obéirez bien.

Jean Valjean l'écoutait sans l'entendre. Il entendait la
395 musique de sa voix plutôt que le sens de ses paroles; une de ces grosses larmes, qui sont les sombres perles de l'âme, germait lentement dans son œil. Il murmura :

— La preuve que Dieu est bon, c'est que la voilà.

— Mon père! dit Cosette.

——————— **QUESTIONS** ———————

91. Pourquoi Marius n'a-t-il pas parlé plus tôt de sa dette envers Jean Valjean? Sa reconnaissance tardive vous paraît-elle justifiée? Est-elle sincère? A quoi vous en rendez-vous compte? — Sur quel objet porte très exactement la discussion qui oppose Marius à son bienfaiteur? Quel est le point de vue adopté par le vieillard? Quelle thèse le jeune homme soutient-il contre lui? La mort de Jean Valjean n'apparaît-elle pas, tout compte fait, comme le seul dénouement possible de la situation? — Ne retrouve-t-on pas dans l'attitude du moribond les deux thèmes signalés plus haut (voir question n° 90)? Comment se manifeste son humilité? A quoi reconnaît-on sa foi? Jean Valjean vous semble-t-il posséder, selon l'expression de Marius, *tous les courages, toutes les vertus, tous les héroïsmes, toutes les saintetés.*

400   Jean Valjean continua :

— C'est bien vrai que ce serait charmant de vivre ensemble. Ils ont des oiseaux plein leurs arbres. Je me promènerais avec Cosette. Etre des gens qui vivent, qui se disent bonjour, qui s'appellent dans le jardin, c'est doux. On se voit dès le
405 matin. Nous cultiverions chacun un petit coin. Elle me ferait manger ses fraises, je lui ferais cueillir mes roses. Ce serait charmant. Seulement...

Il s'interrompit, et dit doucement :

— C'est dommage.

410   La larme ne tomba pas, elle rentra, et Jean Valjean la remplaça par un sourire.

Cosette prit les deux mains du vieillard dans les siennes.

— Mon Dieu! dit-elle, vos mains sont encore plus froides. Est-ce que vous êtes malade? Est-ce que vous souffrez?

415   — Moi? non, répondit Jean Valjean, je suis très bien. Seulement...

Il s'arrêta.

— Seulement quoi?

— Je vais mourir tout à l'heure.

420   Cosette et Marius frissonnèrent.

— Mourir! s'écria Marius.

— Oui, mais ce n'est rien, dit Jean Valjean.

Il respira, sourit et reprit :

— Cosette, tu me parlais, continue, parle encore, ton petit
425 rouge-gorge est donc mort, parle, que j'entende ta voix!

Marius pétrifié regardait le vieillard.

Cosette poussa un cri déchirant :

— Père! mon père! vous vivrez. Vous allez vivre. Je veux que vous viviez, entendez-vous!

430   Jean Valjean leva la tête vers elle avec adoration.

— Oh oui, défends-moi de mourir. Qui sait? J'obéirai peut-être. J'étais en train de mourir quand vous êtes arrivés. Cela m'a arrêté. Il m'a semblé que je renaissais.

— Vous êtes plein de force et de vie, s'écria Marius. Est-ce
435 que vous vous imaginez qu'on meurt comme cela? Vous avez eu du chagrin, vous n'en aurez plus. C'est moi qui vous demande pardon, et à genoux encore! Vous allez vivre, et vivre avec nous, et vivre longtemps. Nous vous reprenons. Nous sommes deux ici qui n'aurons désormais qu'une pensée,
440 votre bonheur!

— Vous voyez bien, reprit Cosette tout en larmes, que Marius dit que vous ne mourrez pas.

Jean Valjean continuait de sourire.

— Quand vous me reprendriez, monsieur Pontmercy, cela
445 ferait-il que je ne sois pas ce que je suis? Non, Dieu a pensé comme vous et moi, et il ne change pas d'avis; il est utile que je m'en aille. La mort est un bon arrangement. Dieu sait mieux que nous ce qu'il nous faut. Que vous soyez heureux, que monsieur Pontmercy ait Cosette, que la jeunesse épouse le
450 matin, qu'il y ait autour de vous, mes enfants, des lilas et des rossignols, que votre vie soit une belle pelouse avec du soleil, que tous les enchantements du ciel vous remplissent l'âme, et maintenant, moi qui ne suis bon à rien, que je meure; il est sûr que tout cela est bien. Voyez-vous, soyons raisonnables, il n'y
455 a plus rien de possible maintenant, je sens tout à fait que c'est fini. Il y a une heure, j'ai eu un évanouissement. Et puis, cette nuit, j'ai bu tout ce pot d'eau qui est là. Comme ton mari est bon, Cosette! Tu es bien mieux qu'avec moi. (92)

Un bruit se fit à la porte. C'était le médecin qui entrait.

460 — Bonjour et adieu, docteur, dit Jean Valjean. Voici mes pauvres enfants.

Marius s'approcha du médecin. Il lui adressa ce seul mot : monsieur? mais dans la manière de le prononcer, il y avait une question complète.

465 Le médecin répondit à la question par un coup d'œil expressif.

— Parce que les choses déplaisent, dit Jean Valjean, ce n'est pas une raison pour être injustes envers Dieu.

Il y eut un silence. Toutes les poitrines étaient oppressées.

470 Jean Valjean se tourna vers Cosette. Il se mit à la contempler comme s'il voulait en prendre pour l'éternité. A la profon-

─────── **QUESTIONS** ───────

92. Sur quelle impression vous laisse le bavardage de Cosette? Que manifeste son caractère décousu? Qu'indiquent les anecdotes qui sont évoquées? En quoi la tirade exprime-t-elle la psychologie de la jeune femme? Quels souvenirs peut-elle éveiller chez le vieillard? Quel effet produit-elle de ce fait sur Jean Valjean? Comment le personnage montre-t-il le bonheur qu'il a éprouvé à l'entendre? — De quelle manière Jean Valjean annonce-t-il l'imminence de sa mort? Comment accueille-t-il l'idée de sa fin prochaine? A quels détails remarquez-vous sa sérénité? Ne s'explique-t-elle pas aisément? Pour quelles raisons? — Les doutes de Marius sur la gravité de l'état de Jean Valjean sont-ils légitimes? Quelle observation attirent-ils de la part du vieillard? Quel problème se trouve ainsi soulevé de nouveau (voir question n° 91)? Quelle solution y est-il proposé?

deur d'ombre où il était déjà descendu, l'extase lui était encore possible en regardant Cosette. La réverbération de ce doux visage illuminait sa face pâle. Le sépulcre peut avoir son
475 éblouissement.

Le médecin lui tâta le pouls.

— Ah! c'est vous qu'il lui fallait! murmura-t-il en regardant Cosette et Marius.

Et, se penchant à l'oreille de Marius, il ajouta très bas :
480 — Trop tard.

Jean Valjean, presque sans cesser de regarder Cosette, considéra Marius et le médecin avec sérénité. On entendit sortir de sa bouche cette parole à peine articulée :

— Ce n'est rien de mourir ; c'est affreux de ne pas vivre.
485 Tout à coup il se leva. Ces retours de force sont quelquefois un signe même de l'agonie. Il marcha d'un pas ferme à la muraille, écarta Marius et le médecin qui voulaient l'aider, détacha du mur le petit crucifix de cuivre qui y était suspendu, revint s'asseoir avec toute la liberté de mouvement de la
490 pleine santé, et dit d'une voix haute en posant le crucifix sur la table :

— Voilà le grand martyr.

Puis sa poitrine s'affaissa, sa tête eut une vacillation, comme si l'ivresse de la tombe le prenait, et ses deux mains, posées
495 sur ses genoux, se mirent à creuser de l'ongle l'étoffe de son pantalon.

Cosette lui soutenait les épaules, et sanglotait, et tâchait de lui parler sans pouvoir y parvenir. On distinguait, parmi les mots mêlés à cette salive lugubre qui accompagne les larmes,
500 des paroles comme celles-ci : — Père! ne nous quittez pas. Est-il possible que nous ne vous retrouvions que pour vous perdre? **(93)**

────── **QUESTIONS** ──────

93. Quel intérêt présente cet épisode de la venue du médecin? Quel effet de la présence de Cosette permet-il d'attester? Quelle confirmation des paroles de Jean Valjean vient-il apporter? Qu'a-t-il de particulièrement douloureux pour les deux jeunes gens? — Comment interprétez-vous la formule *Ce n'est rien de mourir; c'est affreux de ne pas vivre.* Quelle distinction cherche-t-elle à opérer? Qu'est-ce qui vous le suggère dans le contexte? Quelle indication vous fournit l'attitude de Jean Valjean au moment de la prononcer? Ne résume-t-elle pas, en quelque sorte, la signification générale de tout le chapitre? Expliquez votre réponse. — Quelle importance attribuez-vous à l'anecdote du crucifix? En quoi nous renseigne-t-elle sur la nature des sentiments religieux de Jean Valjean? Dans quelle mesure les rattache-t-elle à une religion révélée?

On pourrait dire que l'agonie serpente. Elle va, vient, s'avance vers le sépulcre, et se retourne vers la vie. Il y a du
505 tâtonnement dans l'action de mourir.

Jean Valjean, après cette demi-syncope, se raffermit, secoua son front comme pour en faire tomber les ténèbres, et redevint presque pleinement lucide. Il prit un pan de la manche de Cosette et le baisa.

510 — Il revient! docteur, il revient! cria Marius.

— Vous êtes bons tous les deux, dit Jean Valjean. Je vais vous dire ce qui m'a fait de la peine. Ce qui m'a fait de la peine, monsieur Pontmercy, c'est que vous n'ayez pas voulu toucher à cet argent. Cet argent-là est bien à votre femme. Je
515 vais vous expliquer, mes enfants, c'est même pour cela que je suis content de vous voir. Le jais noir vient d'Angleterre, le jais blanc vient de Norvège. Tout ceci est dans le papier que voilà, que vous lirez. Pour les bracelets, j'ai inventé de remplacer les coulants en tôle soudée par des coulants en tôle rappro-
520 chée. C'est plus joli, meilleur, et moins cher[102]. Vous comprenez tout l'argent qu'on peut gagner. La fortune de Cosette est donc bien à elle. Je vous donne ces détails-là pour que vous ayez l'esprit en repos.

La portière était montée et regardait par la porte entrebâil-
525 lée. Le médecin la congédia, mais il ne put empêcher qu'avant de disparaître cette bonne femme zélée ne criât au mourant :

— Voulez-vous un prêtre?

— J'en ai un, répondit Jean Valjean.

Et, du doigt, il sembla désigner un point au-dessus de sa tête
530 où l'on eût dit qu'il voyait quelqu'un.

Il est probable que l'évêque en effet assistait à cette agonie.

Cosette, doucement, lui glissa un oreiller sous les reins.

Jean Valjean reprit :

— Monsieur Pontmercy, n'ayez plus de crainte, je vous en
535 conjure. Les six cent mille francs sont bien à Cosette. J'aurais donc perdu ma vie si vous n'en jouissiez pas! Nous étions parvenus à faire très bien cette verroterie-là. Nous rivalisions avec ce qu'on appelle les bijoux de Berlin. Par exemple, on ne peut pas égaler le verre noir d'Allemagne. Une grosse, qui

---

102. Rappel de la révolution opérée par M. Madeleine dans la production des articles de verroterie noire (voir I, V, i). Préoccupé par la crainte que Marius ne considère la dot de Cosette comme un bien mal acquis, il a, peu avant l'arrivée des jeunes gens, ébauché une lettre explicative sur ce même sujet (voir V, IX, iii).

540 contient douze cents grains très bien taillés, ne coûte que trois
francs.

Quand un être qui nous est cher va mourir, on le regarde
avec un regard qui se cramponne à lui et qui voudrait le
retenir. Tous deux muets d'angoisse, ne sachant que dire à la
545 mort, désespérés et tremblants, étaient debout devant lui,
Cosette donnant la main à Marius.

D'instant en instant, Jean Valjean déclinait. Il baissait; il se
rapprochait de l'horizon sombre. Son souffle était devenu
intermittent; un peu de râle l'entrecoupait. Il avait de la peine
550 à déplacer son avant-bras, ses pieds avaient perdu tout mouvement, et en même temps que la misère des membres et l'accablement du corps croissait, toute la majesté de l'âme montait
et se déployait sur son front. La lumière du monde inconnu
était déjà visible dans sa prunelle.

555 Sa figure blêmissait, et en même temps souriait. La vie
n'était plus là, il y avait autre chose. Son haleine tombait, son
regard grandissait. C'était un cadavre auquel on sentait des
ailes. **(94)**

Il fit signe à Cosette d'approcher, puis à Marius; c'était
560 évidemment la dernière minute de la dernière heure, et il se
mit à leur parler d'une voix si faible qu'elle semblait venir de
loin, et qu'on eût dit qu'il y avait dès à présent une muraille
entre eux et lui.

— Approche, approchez tous deux. Je vous aime bien. Oh!
565 c'est bon de mourir comme cela! Toi aussi, tu m'aimes, ma
Cosette. Je savais bien que tu avais toujours de l'amitié pour
ton vieux bonhomme. Comme tu es gentille de m'avoir mis ce
coussin sous les reins! Tu me pleureras un peu, n'est-ce pas?
Pas trop. Je ne veux pas que tu aies de vrais chagrins. Il

───────── **QUESTIONS** ─────────

94. Jean Valjean ne donne-t-il pas l'impression de sombrer dans un léger
délire? A quelle caractéristique de ses propos le remarquez-vous? Pourquoi cet
affaiblissement de ses facultés coïncide-t-il avec l'évocation de ses activités à
Montreuil-sur-Mer? N'y peut-on voir l'apparition d'un thème obsessionnel? Où
en trouvera-t-on confirmation? — Pourquoi le vieillard refuse-t-il l'assistance du
prêtre qui lui est proposée? Quelle explication le narrateur propose-t-il de son
attitude? Quelle signification cette anecdote prend-elle si on la rapproche de
celle du crucifix (voir question n° 93)? Quelle idée vous faites-vous de la religion
de Jean Valjean? Est-elle conforme à celle de Victor Hugo? — En quoi réside le
pathétique du tableau réunissant Marius et Cosette au chevet du mourant?
Quels en sont les éléments descriptifs? réalistes? Certains détails ne prennent-ils
pas une résonance symbolique? Lesquels? Commentez-les.

570 faudra vous amuser beaucoup, mes enfants. J'ai oublié de vous
dire que sur les boucles sans ardillons on gagnait encore plus
que sur tout le reste. La grosse, les douze douzaines, revenait
à dix francs et se vendait soixante. C'était vraiment un bon
commerce. Il ne faut donc pas s'étonner des six cent mille
575 francs, monsieur Pontmercy. C'est de l'argent honnête. Vous
pouvez être riches tranquillement. Il faudra avoir une voiture,
de temps en temps une loge aux théâtres, de belles toilettes de
bal, ma Cosette, et puis donner de bons dîners à vos amis, être
très heureux. J'écrivais tout à l'heure à Cosette. Elle trouvera
580 ma lettre. C'est à elle que je lègue les deux chandeliers qui
sont sur la cheminée. Ils sont en argent; mais pour moi ils sont
en or, ils sont en diamant; ils changent les chandelles qu'on y
met, en cierges. Je ne sais pas si celui qui me les a donnés est
content de moi là-haut. J'ai fait ce que j'ai pu. Mes enfants,
585 vous n'oublierez pas que je suis un pauvre, vous me ferez
enterrer dans le premier coin de terre venu sous une pierre
pour marquer l'endroit. C'est là ma volonté. Pas de nom sur la
pierre. Si Cosette veut venir un peu quelquefois, cela me fera
plaisir. Vous aussi, monsieur Pontmercy. Il faut que je vous
590 avoue que je ne vous ai pas toujours aimé; je vous en
demande pardon. Maintenant, elle et vous, vous n'êtes plus
qu'un pour moi. Je vous suis très reconnaissant. Je sens que
vous rendez Cosette heureuse. Si vous saviez, monsieur Pontmercy, ses belles joues roses, c'était ma joie; quand je la
595 voyais un peu pâle, j'étais triste. Il y a dans la commode un
billet de cinq cents francs. Je n'y ai pas touché. C'est pour les
pauvres. Cosette, vois-tu ta petite robe, là sur le lit? la recon-
nais-tu? Il n'y a pourtant que dix ans de cela. Comme le temps
passe! Nous avons été bien heureux. C'est fini. Mes enfants,
600 ne pleurez pas, je ne vais pas très loin, je vous verrai de là.
Vous n'aurez qu'à regarder quand il fera nuit, vous me verrez
sourire. Cosette, te rappelles-tu Montfermeil? Tu étais dans le
bois, tu avais bien peur; te rappelles-tu quand j'ai pris l'anse
du seau d'eau? C'est la première fois que j'ai touché ta pauvre
605 petite main. Elle était si froide! Ah! vous aviez les mains
rouges dans ce temps-là, mademoiselle, vous les avez bien
blanches maintenant. Et la grande poupée! te rappelles-tu? Tu
la nommais Catherine. Tu regrettais de ne pas l'avoir emme-
née au couvent! Comme tu m'as fait rire des fois, mon doux
610 ange! Quand il avait plu, tu embarquais sur les ruisseaux des

brins de paille, et tu les regardais aller. Un jour, je t'ai donné
une raquette en osier, et un volant avec des plumes jaunes,
bleues, vertes. Tu l'as oublié, toi. Tu étais si espiègle toute
petite! Tu jouais. Tu te mettais des cerises aux oreilles. Ce
615 sont là des choses du passé. Les forêts où l'on a passé avec
son enfant, les arbres où l'on s'est promené, les couvents où
l'on s'est caché, les jeux, les bons rires de l'enfance, c'est de
l'ombre. Je m'étais imaginé que tout cela m'appartenait. Voilà
où était ma bêtise. Ces Thénardier ont été méchants. Il faut
620 leur pardonner. Cosette, voici le moment venu de te dire le
nom de ta mère. Elle s'appelait Fantine. Retiens ce nom-là :
Fantine. Mets-toi à genoux toutes les fois que tu le prononce-
ras. Elle a bien souffert. Elle t'a bien aimée. Elle a eu en
malheur tout ce que tu as en bonheur. Ce sont les partages de
625 Dieu. Il est là-haut, il nous voit tous, et il sait ce qu'il fait au
milieu de ses grandes étoiles. Je vais donc m'en aller, mes
enfants. Aimez-vous bien toujours. Il n'y a guère autre chose
que cela dans le monde : s'aimer. Vous penserez quelquefois
au pauvre vieux qui est mort ici. O ma Cosette, ce n'est pas
630 ma faute, va, si je ne t'ai pas vue tous ces temps-ci, cela me
fendait le cœur ; j'allais jusqu'au coin de la rue, je devais faire
un drôle d'effet aux gens qui me voyaient passer, j'étais
comme fou, une fois je suis sorti sans chapeau. Mes enfants,
voici que je ne vois plus très clair, j'avais encore des choses à
635 dire, mais c'est égal. Pensez un peu à moi. Vous êtes des êtres
bénis. Je ne sais pas ce que j'ai, je vois de la lumière. Approchez encore. Je meurs heureux. Donnez-moi vos chères têtes
bien-aimées, que je mette mes mains dessus.

Cosette et Marius tombèrent à genoux, éperdus, étouffés de
640 larmes, chacun sur une des mains de Jean Valjean. Ces mains
augustes ne remuaient plus.

Il était renversé en arrière, la lueur des deux chandeliers
l'éclairait ; sa face blanche regardait le ciel, il laissait Cosette
et Marius couvrir ses mains de baisers ; il était mort.

645 La nuit était sans étoiles et profondément obscure. Sans
doute, dans l'ombre, quelque ange immense était debout, les
ailes déployées, attendant l'âme. **(95) (96)**

──────── **QUESTIONS** ────────

Questions 95 et 96, v. p. 139.

VI

L'HERBE CACHE ET LA PLUIE EFFACE

Il y a, au cimetière du Père-Lachaise, aux environs de la
fosse commune, loin du quartier élégant de cette ville des
650 sépulcres, loin de tous ces tombeaux de fantaisie qui étalent en
présence de l'éternité les hideuses modes de la mort, dans un
angle désert, le long d'un vieux mur, sous un grand if auquel
grimpent les liserons, parmi les chiendents et les mousses, une
pierre. Cette pierre n'est pas plus exempte que les autres des
655 lèpres du temps, de la moisissure, du lichen, et des fientes
d'oiseaux. L'eau la verdit, l'air la noircit. Elle n'est voisine

─────────── **QUESTIONS** ───────────

95. Cette longue tirade de Jean Valjean s'organise-t-elle en fonction d'un plan
logique? Ses éléments successifs s'enchaînent-ils de façon rigoureuse? Certains
ne réapparaissent-ils pas à plusieurs reprises? Ne retrouve-t-on pas dans ces
observations les caractéristiques du délire déjà signalé? — Ne peut-on, néanmoins, retrouver une cohérence d'ensemble sous les propos décousus de ce
discours? Jean Valjean n'y aborde-t-il pas les principaux problèmes que l'on
pouvait s'attendre à le voir évoquer sur son lit de mort? Quels sont-ils? Clas-
sez-les en fonction de ce qu'ils concernent Marius et Cosette, l'évêque et
Fantine, le mourant lui-même. Quelle digression subsiste-t-il à l'issue de ce
travail? Qu'en déduisez-vous? — N'est-il pas de tradition que, dans un roman,
l'agonisant passe en revue les divers événements de son existence? Dans quelle
mesure est-ce ici le cas de Jean Valjean? Evoque-t-il l'ensemble de sa vie ou
opère-t-il un choix entre les différentes époques qui la composent? Quelle
signification le voyons-nous ainsi conférer à ses actes? — L'évocation de l'enfance de Cosette ne peut-elle paraître un peu inutile ici? Quelle importance
prend-elle de ce fait? Certains des détails rapportés n'étaient-ils pas inconnus du
lecteur? Lesquels? Vous semblent-ils vraisemblables, compte tenu de ce que
vous savez de la vie des deux personnages? Qu'en concluez-vous? .

96. SUR L'ENSEMBLE DU CHAPITRE V. — Quel rôle tiennent Marius et Cosette
dans ce passage? Ne peut-il paraître quelque peu effacé? Quelle explication
trouvez-vous à ce fait? Que se propose essentiellement le chapitre?

— Quelle impression la figure de Jean Valjean laisse-t-elle au lecteur? Quelle
règle de conduite son exemple nous suggère-t-il? N'est-il pas parmi ses dernières
paroles une phrase qui résume sa pensée? Citez-la et commentez-la. Sur quel
acte le héros termine-t-il son existence? Quelle signification lui attribuez-vous?
Qu'y a-t-il d'édifiant dans cette mort?

— Une attitude religieuse d'un certain type ne nous est-elle pas préconisée
dans ce chapitre? Quels rapports entretient-elle avec la religion révélée? A-t-elle
l'approbation de l'auteur? A quelles remarques significatives de sa part le
supposez-vous?

— Pourquoi la fin de Jean Valjean est-elle, en même temps qu'un achève-
ment, un aboutissement et un couronnement? Quel sens l'ancien banni
donne-t-il à son existence par ses ultimes manifestations de vie? En quoi
scelle-t-il ainsi ce qui sera désormais son destin?

d'aucun sentier, et l'on n'aime pas aller de ce côté-là, parce
que l'herbe est haute et qu'on a tout de suite les pieds mouil-
660 lés. Quand il y a un peu de soleil, les lézards y viennent. Il y a,
tout autour, un frémissement de folles avoines. Au printemps,
les fauvettes chantent dans l'arbre.

Cette pierre est toute nue. On n'a songé en la taillant qu'au
nécessaire de la tombe, et l'on n'a pris d'autre soin que de
faire cette pierre assez longue et assez étroite pour couvrir un
665 homme.

On n'y lit aucun nom.

Seulement, voilà de cela bien des années déjà, une main y a
écrit au crayon ces quatre vers qui sont devenus peu à peu
illisibles sous la pluie et la poussière, et qui probablement sont
670 aujourd'hui effacés :

> Il dort. Quoique le sort fût pour lui bien étrange,
> Il vivait. Il mourut quand il n'eut plus son ange ;
> La chose simplement d'elle-même arriva,
> Comme la nuit se fait lorsque le jour s'en va. (97)

QUESTIONS

---

97. La sépulture de Jean Valjean est-elle conforme à ses dernières volontés ?
Ne peut-on penser que celles-ci ont même été, dans une certaine mesure,
outrepassées ? Quel mot, plusieurs fois repris, insiste sur la simplicité de cette
tombe ? Comment l'abandon en apparaît-il ? Vous semble-t-il triste ou gai ? Quel
est, selon vous, le terme le plus propre à caractériser l'impression sur laquelle il
laisse le lecteur ? — En quoi réside le symbolisme de ce dernier chapitre ? La
sépulture du personnage ne vous paraît-elle pas à l'image de sa vie ? Précisez les
données de ce parallèle. Le quatrain final n'est-il pas significatif du bien-fondé
de cette interprétation ? A quelle main attribuez-vous le tracé de ces quatre vers
mélancoliques ?

DOCUMENTATION THÉMATIQUE

réunie par la Rédaction des Nouveaux Classiques Larousse

LA PENSÉE POLITIQUE DE VICTOR HUGO AU MOMENT DES *MISÉRABLES*

1. V. Hugo et la monarchie de Juillet :
    1.1. La révolution de Juillet ;
    1.2. Louis-Philippe.

2. République ou monarchie?
    2.1. V. Hugo et les républicains ;
    2.2. Une « monarchie démocratique »?

3. De l'élection et de la souveraineté :
    3.1. L'élection? une institution dangereuse ;
    3.2. « La souveraineté, c'est la solitude. »

LA PENSÉE POLITIQUE DE VICTOR HUGO
AU MOMENT DES *MISÉRABLES*

Dans *Actes et paroles, Avant l'exil,* V. Hugo a tracé la courbe de son évolution politique :

> « Depuis l'âge où mon esprit s'est ouvert, et où j'ai commencé à prendre part aux transformations politiques et aux fluctuations sociales de mon temps, voici les phases successives que ma conscience a traversées en s'avançant sans cesse et sans reculer un jour — je me rends cette justice — vers la lumière : 1818, Royaliste ; — 1824, Royaliste-Libéral ; — 1827, Libéral ; — 1828, Libéral-Socialiste ; — 1830, Libéral-Socialiste-Démocrate ; — 1849 : Libéral-Socialiste-Démocrate républicain. »

1. V. HUGO ET LA MONARCHIE
DE JUILLET

1.1. LA RÉVOLUTION DE JUILLET

Dans un fragment utilisé pour *les Misérables,* nous trouvons ces réflexions de Hugo :

> Le pouvoir fondé en août 1830 était donc en présence de deux faits : au-dehors, l'Europe défiante ; au-dedans, la nation inquiète. On entendait gronder sourdement les masses, remuées à la fois par le travail extérieur des partis et par le travail intérieur des systèmes, double action qui mène les colères jusqu'à l'émeute et les réformes jusqu'aux révolutions. Situation compliquée et grave qui s'offrait comme une énigme à la tristesse des penseurs.
> La royauté tombée laissait derrière elle, comme un temple écroulé qui laisse deux colonnes, deux hommes imposants qui l'avaient soutenue, deux personnages majestueux qui tous deux l'avaient fidèlement et sévèrement aimée, et qui représentaient aux yeux des générations nouvelles, avec une sorte de grandeur idéale, l'un le chevalier, l'autre le bourgeois de l'ancien régime : M. de Chateaubriand et M. Royer-Collard.
> La révolution de Juillet, cette nouveauté où entrait la France, apparut à ces deux grands vieillards comme la pente profonde et sombre de l'inconnu. Pente fatale avec l'imprévu pour précipice. M. de Chateaubriand s'arrêta court ; M. Royer-Collard conduisit la patrie quelques pas plus loin.
> C'était l'ombre en effet qu'on avait devant soi. Il était impossible de reculer. Il n'y avait que deux partis à prendre : s'y précipiter ou y avancer à tâtons.
> Les prudents disaient :
> « Doucement. Il importe d'abord de rassurer l'Europe. L'Eu-

rope est accoutumée à voir la France passer d'une révolution à la guerre. Détrompons les rois en ne bougeant pas.

« Sans doute le but de la France au xixe siècle, c'est l'affermissement national, c'est l'établissement continental des grandes idées que la révolution française a dégagées. Ces idées doivent être en Europe comme dans leur cité, en France comme dans leur forteresse.

« De là, elles rayonneront sur le monde.

« Aujourd'hui on les appelle les idées françaises, dans cent ans on les appellera les idées européennes. Oui, c'est là ce qu'aucune couronne ne doit méconnaître, ce qu'aucune couronne ne doit oublier, en Europe elles sont chez elles. Elles sont là où est la sociabilité humaine. Mais elles n'ont besoin pour vaincre que de la paix et du temps. La guerre avec ses chances peut leur être mauvaise et les retarder. Ce qu'il leur faut, c'est qu'on ne les trouble pas. Pour cela il suffit de faire remarquer aux cabinets européens qu'elles contiennent autant de dangers que de bienfaits ; que, si on les attaque, elles se défendront jusqu'à refaire la barbarie autour d'elles, que, si on les laisse faire, elles feront la civilisation. Car elles sont formidables et pacifiques ; elles découlent de la Révolution et de l'Évangile ; elles tiennent à la fois de Robespierre et de Jésus.

« Restons donc en repos. N'agitons rien, ne provoquons pas, ne remettons aucun point du passé en question. Attendons l'avenir qui est évidemment pour nous, et en attendant, faisons la révolution de Juillet bonne personne. D'ailleurs, pas de finances, pas d'arsenaux, pas de flotte, pas d'armée, un contre dix, quelle guerre ferions-nous ? »

Les impatients répondaient :

« Quoi ! Après avoir chassé Charles X, après avoir balayé les Bourbons, les vieilleries, l'arbitraire, l'ancien régime, au moment où les peuples pleins de joie et d'enthousiasme ont les yeux sur nous et disent : Voilà la grande France qui recommence les grandes choses, reculer ! le bât de l'Europe, subir les traités de Vienne, accepter la frontière que nous a faite 1815, ne pas reprendre le Rhin, la Belgique, le Piémont, ne pas rentrer dans nos limites naturelles, ne pas tendre la main à la Pologne, à la Lombardie, à Naples, à l'Espagne et à l'Irlande par-dessus la tête de l'Angleterre, manquer aux espérances des peuples, mentir à notre mission, mettre le drapeau tricolore dans notre poche, respecter le lion de Waterloo, prendre des biais, baisser la voix, mettre les pouces, patienter, fléchir, plier, trembler, ah !

« Faire la révolution de Juillet petite, c'est une faute ! faire la France lâche, c'est un crime ! Nous n'avons pas d'armée, mais nous avons les peuples ; nous n'avons pas de finances, mais nous avons la révolution. Pour marcher il suffit d'avoir des pieds, il n'est pas nécessaire d'avoir des souliers. La jeune armée d'Italie l'a prouvé sous Bonaparte. D'ailleurs les rois sont pris au dépourvu comme nous, autant que nous! plus que nous! Avançons, ils reculeront. Prenons ce qui est à nous et donnons à tous les peuples ce qui est à eux. Dans tout cela, il n'y aura que les rois de dépouillés. Tout le monde gagnera, excepté les couronnes. Nous avons pour nous, à défaut d'armée organisée, une immense force morale, la sympathie universelle, l'enthousiasme, l'espérance, la confiance des nations, l'attente des opprimés. Nous ne serons pas les étrangers, nous serons les libérateurs. La marche sur Rambouillet, recommençons-la, faisons-la sur Milan et sur Vienne. Nous n'avons qu'un pas à faire. Les rois céderont et lâcheront pied. Quoi! laisser échapper cette occasion de redevenir la grande et fière et puissante France, centre des peuples, foyer des idées, appui des faibles, assez forte pour délivrer l'Europe et assez haute pour la dominer! Quoi! les rois sont là tout pâles autour de nous! Ce sont eux qui tremblent et c'est nous qui avons peur! »

1.2. LOUIS-PHILIPPE

Une note de Hugo indiquait :

Finir ainsi : — L.-P. devant l'histoire n'aura contre lui que deux choses : Premièrement l'objection radicale qu'on peut faire à tous les rois, et à laquelle se rattachent tous les faits du gouvernement intérieur et personnel reprochés à son règne; deuxièmement, faute impardonnable, il ne connut pas assez la force de la France ; il fut modeste vis-à-vis de l'étranger.

Un chapitre des *Misérables* (IVᵉ partie, I, III) est consacré au souverain.

Les révolutions ont le bras terrible et la main heureuse; elles frappent ferme et choisissent bien. Même incomplètes, même abâtardies et mâtinées, et réduites à l'état de révolution cadette, comme la révolution de 1830, il leur reste presque toujours assez de lucidité providentielle pour qu'elles ne puissent mal tomber. Leur éclipse n'est jamais une abdication.

Pourtant, ne nous vantons pas trop haut ; les révolutions, elles aussi, se trompent, et de graves méprises se sont vues.

Revenons à 1830. 1830, dans sa déviation, eut du bonheur. Dans l'établissement qui s'appela l'ordre après la révolution coupée court, le roi valait mieux que la royauté. Louis-Philippe était un homme rare.

Fils d'un père auquel l'histoire accordera certainement les circonstances atténuantes, mais aussi digne d'estime que ce père avait été digne de blâme; ayant toutes les vertus privées et plusieurs des vertus publiques; soigneux de sa santé, de sa fortune, de sa personne, de ses affaires; connaissant le prix d'une minute et pas toujours le prix d'une année ; sobre, serein, paisible, patient; bonhomme et bon prince; couchant avec sa femme, et ayant dans son palais des laquais chargés de faire voir le lit conjugal aux bourgeois, ostentation d'alcôve régulière devenue utile après les anciens étalages illégitimes de la branche aînée; sachant toutes les langues de l'Europe, et, ce qui est plus rare, tous les langages de tous les intérêts, et les parlant; admirable représentant de la « classe moyenne », mais la dépassant, et de toutes les façons plus grand qu'elle; ayant l'excellent esprit, tout en appréciant le sang dont il sortait, de se compter surtout pour sa valeur intrinsèque, et, sur la question même de sa race, très particulier, se déclarant Orléans et non Bourbon; très premier prince du sang tant qu'il n'avait été qu'altesse sérénissime, mais franc bourgeois le jour où il fut majesté; diffus en public, concis dans l'intimité; avare signalé, mais non prouvé; au fond, un de ces économes aisément prodigues pour leur fantaisie ou leur devoir; lettré, et peu sensible aux lettres; gentilhomme, mais non chevalier; simple, calme et fort; adoré de sa famille et de sa maison; causeur séduisant; homme d'Etat désabusé, intérieurement froid, dominé par l'intérêt immédiat, gouvernant toujours au plus près, incapable de rancune et de reconnaissance, usant sans pitié les supériorités sur les médiocrités, habile à faire donner tort par les majorités parlementaires à ces unanimités mystérieuses qui grondent sourdement sous les trônes; expansif, parfois imprudent dans son expansion, mais d'une merveilleuse adresse dans cette imprudence; fertile en expédients, en visages, en masques; faisant peur à la France de l'Europe et à l'Europe de la France; aimant incontestablement son pays, mais préférant sa famille; prisant plus la domination que l'autorité et l'autorité que la dignité, disposition qui a cela de funeste que, tournant tout au succès, elle admet la ruse et ne répudie pas absolument la bassesse, mais qui a cela de profitable qu'elle préserve la politique des chocs violents, l'Etat des fractures et la société des catastrophes; minutieux, correct, vigilant, attentif, sagace, infatigable; se contredisant quelquefois, et se démentant; hardi contre l'Autriche à Ancône, opiniâtre contre l'Angleterre en Espagne, bombardant Anvers et payant Pritchard; chantant avec conviction *la Marseillaise;* inaccessible à l'abattement, aux lassitudes, au goût du beau et de l'idéal, aux générosités téméraires, à l'utopie, à la chimère, à la colère, à la vanité, à la crainte; ayant toutes les formes de l'intrépidité personnelle; général à Valmy, soldat à Jemmapes; tâté huit fois par le régicide, et toujours souriant; brave comme un grenadier, courageux comme un penseur; inquiet seulement devant les chances d'un ébranlement européen, et impropre aux grandes aventures politiques; toujours prêt à risquer sa vie, jamais son œuvre; déguisant sa volonté en influence afin d'être plutôt obéi comme intelligence que comme roi; doué d'observation et non de divination; peu attentif aux esprits, mais se connaissant en hommes, c'est-à-dire ayant besoin de voir pour juger ; bon sens prompt et pénétrant, sagesse pratique, parole facile, mémoire prodigieuse ; puisant sans cesse dans cette mémoire, son unique point de ressemblance avec César, Alexandre et Napoléon ; sachant les faits, les détails, les dates, les noms propres ; ignorant les tendances, les passions, les génies divers de la foule, les aspirations intérieures, les soulèvements cachés et obscurs des âmes, en un mot, tout ce qu'on pourrait appeler les courants invisibles des consciences ; accepté par la surface, mais peu d'accord avec la France de dessous ; s'en tirant par la finesse ; gouvernant trop et ne régnant pas assez ; son Premier ministre à lui-même ; excellant à faire de la petitesse des réalités un obstacle à l'immensité des idées ; mêlant à une vraie faculté créatrice de civilisation, d'ordre et d'organisation, on ne sait quel esprit de procédure et de chicane ; fondateur et procureur d'une dynastie ; ayant quelque chose de Charlemagne et quelque chose d'un avoué ; en somme, figure haute et originale, prince qui sut faire du pouvoir malgré l'inquiétude de la France et de la puissance malgré la jalousie de l'Europe, Louis-Philippe sera classé parmi les hommes éminents de son siècle, et serait rangé parmi les gouvernants les plus illustres de l'histoire, s'il eût un peu aimé la gloire et s'il eût eu le sentiment de ce qui est grand au même degré que le sentiment de ce qui est utile.

Louis-Philippe avait été beau, et, vieilli, était resté gracieux ; pas toujours agréé de la nation, il l'était toujours de la foule ; il plaisait. Il avait ce don, le charme. La majesté lui faisait défaut ; il ne portait ni la couronne, quoique roi, ni les cheveux blancs, quoique vieillard. Ses manières étaient du vieux régime et ses habitudes du nouveau, mélange du noble et du bourgeois qui convenait à 1830 ; Louis-Philippe était la transition régnante ; il avait conservé l'ancienne prononciation et l'ancienne orthographe qu'il mettait au service des opinions modernes ; il aimait la Pologne et la Hongrie, mais il écrivait *les polonois* et il prononçait *les hongrais*. Il portait l'habit de la garde nationale comme Charles X, et le cordon de la Légion d'honneur comme Napoléon.

Il allait peu à la chapelle, point à la chasse, jamais à l'Opéra. Incorruptible aux sacristains, aux valets de chiens et aux danseuses ; cela entrait dans sa popularité bourgeoise. Il n'avait point de cour. Il sortait avec son parapluie sous son bras, et ce parapluie a longtemps fait partie de son auréole. Il était un peu maçon, un peu jardinier et un peu médecin ; il saignait un postillon tombé de cheval ; Louis-Philippe n'allait pas plus sans sa lancette que Henri III sans son poignard. Les royalistes raillaient ce roi ridicule, le premier qui ait versé le sang pour guérir.

Dans les griefs de l'histoire contre Louis-Philippe, il y a une défalcation à faire ; il y a ce qui accuse la royauté, ce qui accuse

le règne, et ce qui accuse le roi ; trois colonnes qui donnent
chacune un total différent. Le droit démocratique confisqué, le
progrès devenu le deuxième intérêt, les protestations de la rue
réprimées violemment, l'exécution militaire des insurrections,
l'émeute passée par les armes, la rue Transnonain, les conseils de
guerre, l'absorption du pays réel par le pays légal, le gouvernement de compte à demi avec trois cent mille privilégiés sont le
fait de la royauté ; la Belgique refusée, l'Algérie trop durement
conquise, et, comme l'Inde par les Anglais, avec plus de barbarie
que de civilisation, le manque de foi à Abd el-Kader, Blaye,
Deutz acheté, Pritchard payé sont le fait du règne ; la politique
plus familiale que nationale est le fait du roi.
Comme on voit, le décompte opéré, la charge du roi s'amoindrit.
Sa grande faute, la voici : il a été modeste au nom de la France.
D'où vient cette faute ?
Disons-le.
Louis-Philippe a été un roi trop père ; cette incubation d'une
famille qu'on veut faire éclore dynastie a peur de tout et n'entend
pas être dérangée ; de là des timidités excessives, importunes au
peuple qui a le 14 juillet dans sa tradition civile et Austerlitz dans
sa tradition militaire.
Du reste, si l'on fait abstraction des devoirs publics, qui veulent
être remplis les premiers, cette profonde tendresse de Louis-
Philippe pour sa famille, la famille la méritait. Ce groupe domestique était admirable. Les vertus y coudoyaient les talents. Une
des filles de Louis-Philippe, Marie d'Orléans, mettait le nom de
sa race parmi les artistes comme Charles d'Orléans l'avait mis
parmi les poètes. Elle avait fait de son âme un marbre qu'elle
avait nommé Jeanne d'Arc. Deux des fils de Louis-Philippe
avaient arraché à Metternich cet éloge démagogique : *Ce sont
des jeunes gens comme on n'en voit guère et des princes comme
on n'en voit pas.*
Voilà, sans rien dissimuler, mais aussi sans rien aggraver, le vrai
sur Louis-Philippe.
Etre le prince égalité, porter en soi la contradiction de la Restauration et de la Révolution, avoir ce côté inquiétant du révolutionnaire qui devient rassurant dans le gouvernant, ce fut là la fortune
de Louis-Philippe en 1830 ; jamais il n'y eut adaptation plus
complète d'un homme à un événement ; l'un entra dans l'autre, et
l'incarnation se fit. Louis-Philippe, c'est 1830 fait homme. De
plus, il avait pour lui cette grande désignation au trône, l'exil. Il
avait été proscrit, errant, pauvre. Il avait vécu de son travail. En
Suisse, cet apanagiste des plus riches domaines princiers de
France avait vendu un vieux cheval pour manger. A Reichenau il
avait donné des leçons de mathématiques pendant que sa sœur
Adélaïde faisait de la broderie et cousait. Ces souvenirs mêlés à
un roi enthousiasmaient la bourgeoisie. Il avait démoli de ses

propres mains la dernière cage de fer du Mont-Saint-Michel, bâtie par Louis XI et utilisée par Louis XV. C'était le compagnon de Dumouriez, c'était l'ami de Lafayette ; il avait été du club des jacobins ; Mirabeau lui avait frappé sur l'épaule ; Danton lui avait dit : Jeune homme! A vingt-quatre ans, en 93, étant M. de Chartres, du fond d'une logette obscure de la Convention, il avait assisté au procès de Louis XVI, si bien nommé *ce pauvre tyran*. La clairvoyance aveugle de la Révolution, brisant la royauté dans le roi et le roi avec la royauté, sans presque remarquer l'homme dans le farouche écrasement de l'idée, le vaste orage de l'assemblée tribunal, la colère publique interrogeant, Capet ne sachant que répondre, l'effrayante vacillation stupéfaite de cette tête royale sous ce souffle sombre, l'innocence relative de tous dans cette catastrophe, de ceux qui condamnaient comme de celui qui était condamné, il avait regardé ces choses, il avait contemplé ces vertiges ; il avait vu les siècles comparaître à la barre de la Convention ; il avait vu, derrière Louis XVI, cet infortuné passant responsable, se dresser dans les ténèbres la formidable accusée, la monarchie ; et il lui était resté dans l'âme l'épouvante respectueuse de ces immenses justices du peuple presque aussi impersonnelles que la justice de Dieu.

La trace que la Révolution avait laissée en lui était prodigieuse. Son souvenir était comme une empreinte vivante de ces grandes années minute par minute. Un jour, devant un témoin dont il nous est impossible de douter, il récita de mémoire toute la lettre A de la liste alphabétique de l'assemblée constituante.

Louis-Philippe a été un roi de plein jour. Lui régnant, la presse a été libre, la tribune a été libre, la conscience et la parole ont été libres. Les lois de septembre sont à claire-voie. Bien que sachant le pouvoir rongeur de la lumière sur les privilèges, il a laissé son trône exposé à la lumière. L'histoire lui tiendra compte de cette loyauté.

Louis-Philippe, comme tous les hommes historiques sortis de scène, est aujourd'hui mis en jugement par la conscience humaine. Son procès n'est encore qu'en première instance.

L'heure où l'histoire parle avec son accent vénérable et libre n'a pas encore sonné pour lui ; le moment n'est pas venu de prononcer sur ce roi le jugement définitif ; l'austère et illustre historien Louis Blanc a lui-même récemment adouci son premier verdict ; Louis-Philippe a été l'élu de ces deux à peu près qu'on appelle les 221 et 1830, c'est-à-dire d'un demi-parlement et d'une demi-révolution ; et dans tous les cas, au point de vue supérieur où doit se placer la philosophie, nous ne pourrions le juger ici, comme on a pu l'entrevoir plus haut, qu'avec de certaines réserves au nom du principe démocratique absolu ; aux yeux de l'absolu, en dehors de ces deux droits, le droit de l'homme d'abord, le droit du peuple ensuite, tout est usurpation ; mais ce que nous pouvons dire dès à présent, ces réserves faites, c'est que, somme toute et de quelque façon qu'on le considère, Louis-Philippe, pris en lui-même et au point de vue de la bonté humaine, demeurera, pour nous servir du vieux langage de l'ancienne histoire, un des meilleurs princes qui aient passé sur un trône.

Qu'a-t-il contre lui? Ce trône. Otez de Louis-Philippe le roi, il reste l'homme. Et l'homme est bon. Il est bon parfois jusqu'à être admirable. Souvent, au milieu des plus graves soucis, après une journée de lutte contre toute la diplomatie du continent, il rentrait le soir dans son appartement, et là, épuisé de fatigue, accablé de sommeil, que faisait-il? il prenait un dossier, et il passait sa nuit à reviser un procès criminel, trouvant que c'était quelque chose de tenir tête à l'Europe, mais que c'était une plus grande affaire encore d'arracher un homme au bourreau. Il s'opiniâtrait contre son garde des sceaux; il disputait pied à pied le terrain de la guillotine aux procureurs généraux, *ces bavards de la loi,* comme il les appelait. Quelquefois les dossiers empilés couvraient sa table; il les examinait tous; c'était une angoisse pour lui d'abandonner ces misérables têtes condamnées. Un jour il disait au même témoin que nous avons indiqué tout à l'heure : *Cette nuit, j'en ai gagné sept.* Pendant les premières années de son règne, la peine de mort fut comme abolie, et l'échafaud relevé fut une violence faite au roi. La Grève ayant disparu avec la branche aînée, une Grève bourgeoise fut instituée sous le nom de Barrière Saint-Jacques; les « hommes pratiques » sentirent le besoin d'une guillotine quasi légitime; et ce fut là une des victoires de Casimir Périer, qui représentait les côtés étroits de la bourgeoisie, sur Louis-Philippe, qui en représentait les côtés libéraux. Louis-Philippe avait annoté de sa main Beccaria. Après la machine Fieschi, il s'écriait : *Quel dommage que je n'aie pas été blessé! j'aurais pu faire grâce.* Une autre fois, faisant allusion aux résistances de ses ministres, il écrivait à propos d'un condamné politique qui est une des plus généreuses figures de notre temps : *Sa grâce est accordée, il ne me reste plus qu'à l'obtenir.* Louis-Philippe était doux comme Louis IX et bon comme Henri IV.

Or, pour nous, dans l'histoire où la bonté est la perle rare, qui a été bon passe presque avant qui a été grand.

Louis-Philippe ayant été apprécié sévèrement par les uns, durement peut-être par les autres, il est tout simple qu'un homme, fantôme lui-même aujourd'hui, qui a connu ce roi, vienne déposer pour lui devant l'histoire; cette déposition, quelle qu'elle soit, est évidemment et avant tout désintéressée; une épitaphe écrite par un mort est sincère; une ombre peut consoler une autre ombre; le partage des mêmes ténèbres donne le droit de louange; et il est peu à craindre qu'on dise jamais de deux tombeaux dans l'exil : Celui-ci a flatté l'autre.

Le 8 juillet 1862, le duc d'Aumale écrivait au général Le Flo :

> Lisez-vous *les Misérables?* Le 7ᵉ volume commence par un portrait de mon père qui m'a causé une bien vive et bien douce émotion. Cette impression a été celle de ma mère, de mes frères et sœurs ici présents. Il y a sans doute, dans cette rapide et brillante esquisse, des erreurs et des réserves que nous n'acceptons pas. Mais l'*homme* y est peint, peint de main de maître ; le noble cœur du poète a compris le noble cœur du Roi, et dans leur ensemble ces pages éloquentes sont une éclatante justice rendue au caractère de mon père, à sa bonté, à ses grandes qualités, à la loyauté de son règne. Certains traits nous ont touchés jusqu'aux larmes. Si vous êtes encore en relations avec M. Victor Hugo, tâchez de lui faire connaître tous les sentiments que cette lecture nous a inspirés.

2. RÉPUBLIQUE OU MONARCHIE ?

2.1. HUGO ET LES RÉPUBLICAINS

Dans un fragment inutilisé pour *les Misérables,* V. Hugo fait les réflexions suivantes :

> Les partis donc commencèrent à faire la vie dure au gouvernement de Juillet. Il dut, né d'hier, combattre aujourd'hui.
>
> De tous les partis qui se dressaient en face du pouvoir nouveau, le parti républicain [*note en regard :* « Parti Carrel »] était le plus redoutable, parce qu'il s'appuyait sur une certaine logique fière qui est ce qu'il y a de plus vivace et de plus profond dans l'homme.
>
> Ce parti, de quelque manière qu'on le jugeât d'ailleurs, avait une grande physionomie. Il était peu nombreux, mais dense, compact, solide, plein d'unité, quoique pénétré d'anarchie. Il pensait comme une foule et marchait comme un homme. [*Note en regard :* « Dire les fractions. »]
>
> Sincère, loyal, vibrant, habituellement injuste avec un éternel fond d'équité ; indifférent, presque ennemi, aux lettres et aux arts, c'est-à-dire à ce qui fait la puissance la plus durable et la plus humaine des peuples, mettant sur la même ligne la probité et l'austérité, ce qui est une erreur car l'excès est possible à l'austérité et ne l'est pas à la probité ; pas assez indigné des abominables fureurs de 93 ; faisant parfois la faute d'admirer Brutus plus que Caton et Marat plus que Brutus ; faisant aussi l'autre faute non moins grave de se montrer haineux aux supériorités naturelles autant qu'aux supériorités sociales ; fanatique dans le scepticisme universel, farouche au milieu de la douceur des mœurs ; ayant du reste d'admirables instincts et des lueurs magnanimes, profondément épris de toutes les grandeurs collectives de la France, déployant en toute occasion une témérité qui faisait à la fois sa

gloire et sa perte ; assez héroïque dans le combat pour faire croire qu'il aurait pu être chevaleresque dans la victoire, le parti républicain faisait dans la nation un groupe extraordinaire.

Nous ne confondons pas avec le vrai et grand parti républicain une minorité imperceptible dans le parti même, qui exagérait les exagérations, faisait de l'horreur à froid, n'aimait dans la révolution que la terreur, et admirait la guillotine. Ce petit parti, dont il ne reste plus de trace aujourd'hui, voulait être formidable et parvint à être ridicule. Il se déclarait enfanté par la Montagne ; soit. Nous eûmes la souris.

A l'heure où nous écrivons ces lignes, le pouvoir et la législation ont maîtrisé le parti républicain, mais, nous n'hésitons pas à le dire, nous sommes de ceux qui regrettent que la loi lui ait imposé silence. C'est à notre sens une injustice compliquée d'une maladresse. On ne fait jamais complètement taire une opinion. Si on la comprime du côté de la théorie, elle s'échappe du côté de la polémique. Son raisonnement demeure bâillonné, mais sa colère trouve moyen de prendre la parole.

Voici, sommairement, quelques-unes des objections que le parti libéral monarchique, par les voix d'ailleurs sincères de ceux qu'on pourrait appeler les théoriciens de la demi-révolution de 1830, opposait au parti républicain.

Ici commence le passage que Victor Hugo avait mis entre guillemets et qu'il attribuait à un autre que lui-même :

« Par suite de ce besoin de traditions qui est dans la nature humaine et que subissent même les partis les plus résolus à rompre avec le passé et les hommes les plus déterminés à ne point avoir d'aïeux, le parti républicain de 1831 s'est replacé sur le terrain de 92, de 93 et de 94, et s'est borné pour toute œuvre à proclamer de nouveau les généralités grandioses de la Convention ; entre autres la fameuse déclaration des droits de l'homme et du citoyen. Or, à notre sens, ce n'est plus la question.

« D'une part, ces grands documents qu'on pourrait appeler les actes héroïques de la pensée révolutionnaire ne sont ni oblitérés ni prescrits ; d'autre part, ils ne sont plus à l'ordre du jour immédiat.

Ce sont désormais des faits acquis à la philosophie sociale ; les uns comme fondements réels du droit, les autres comme renseignements pour les révolutions futures ; la civilisation est maintenant occupée à élaborer d'autres faits. C'est ce que le parti républicain semble méconnaître.

« Le principal titre de grandeur de la Révolution française, ce qui démontre sa réalité profonde et sa nécessité, c'est qu'elle a stipulé pour l'univers, et que, dans ses déclarations démesurées adressées au genre humain tout entier, elle a paru presque oublier la France. La Révolution eut des idées immenses qui dépassaient la frontière ; elle enfanta des principes d'une telle stature qu'ils durent, dès le premier jour, s'appuyer, non sur le génie propre d'une nation, mais sur l'esprit humain tout entier. Elle engendra de tels résultats qu'aucun peuple, si grand qu'il fût, n'eût suffi à les contenir. Elle fut désintéressée, ce fut sa gloire. Elle se dévoua à la propagation des idées pures. Elle n'eut même pas ce grand égoïsme de la nationalité. La révolution d'Angleterre fut une révolution anglaise ; la révolution de France fut une révolution de l'humanité.

« La révolution d'Angleterre fonda une liberté insulaire, une religion insulaire, un schisme insulaire, et ne jeta pas une idée générale au continent. La révolution française mit le feu dès le premier jour à toute la pensée humaine à la fois et éblouit subitement le monde par l'embrasement magnifique des vérités universelles. Pendant quatre ans tout l'horizon fut en feu.

« Aujourd'hui encore la réverbération de ce prodigieux foyer d'idées, séparé de nous par près d'un demi-siècle et sur lequel est tombée déjà la cendre de quarante années, suffit pour donner à toute la France aux yeux de l'Europe un flamboiement étrange, sinistre pour les uns, sublime pour les autres.

« La révolution anglaise n'était que la réforme ; la révolution française, c'est la liberté.

« La révolution française est une révolution mère. On trouvera des dérivés de cette révolution dans toutes les langues que parlera désormais la pensée des peuples.

« Notre révolution donc, considérée dans son effet moral et dans son résultat philosophique, est une grande modification à la civilisation humaine.

« Au sommet où se place la philosophie de l'histoire, ce qui n'est que local et transitoire dans cette révolution immortelle disparaît, et l'on n'aperçoit même plus deux choses qu'il ne faut pourtant jamais oublier, car l'une est son mérite et l'autre est son crime, le territoire héroïquement défendu, la place publique affreusement ensanglantée.

« Oui, et c'est sur ce point qu'il faut insister, la première révolution étant révolution mère, a eu la signification d'une révolution générale : 93 est l'éruption colossale de toutes les haines, des esclaves contre les maîtres, des petits contre les grands, des pauvres contre les riches, des envieux contre les enviés, des misérables contre les heureux, des opprimés contre les oppresseurs, amoncelées dans la profondeur et l'obscurité des âmes depuis huit siècles. C'est le bouillonnement de l'univers dans le grand cratère français. La Convention, quand on considère sa figure formidable et ses proportions monstrueuses, n'apparaît plus à l'esprit comme l'assemblée d'un peuple, mais comme le concile violent du genre humain furieux. Les personnes disparaissent devant cette assemblée géante ; il ne reste plus que des idées.

« Cela ne ressemble ni à un sénat, ni à un aréopage, ni à une chambre, ni à un parlement ; cela a d'autres dimensions ; ces hommes effrayants qui s'agitent là dans les ténèbres sont parfois au-dessus, parfois au-dessous de l'humanité, toujours au-delà. Les principaux d'entre eux semblent appartenir à cette race fabuleuse de monstres qui étaient en même temps des demi-dieux. La Convention est tantôt un panthéon, tantôt un pandœmonium. C'est là, à notre avis, la suprême originalité de cette assemblée unique ; les vrais personnages qui luttent dans cette enceinte et qui s'y prennent corps à corps, ce sont des idées. De ces bancs couverts d'ombre et pleins de tumulte, de ces sièges où s'agitent, bras nus et coiffés du bonnet rouge, des législateurs en sabots, de cette tribune qui semble par moments disparaître dans les nuées et dans les éclairs, de cette Gironde, de cette Montagne, il sort des abstractions qui s'en vont dehors à la clarté du ciel, sous les yeux du peuple entier, exterminer d'autres abstractions. Le régicide anglais, c'est la décapitation d'un roi ; le régicide français, c'est la décapitation de la royauté.

« Pour la révolution d'Angleterre, Charles Ier était un obstacle ; pour la révolution de France, Louis XVI est un prétexte. On dresse l'échafaud dans les deux cas.

« Seulement, il nous est impossible de ne point faire en passant cette remarque, la Convention s'est trompée : la Convention, effarée et comme aveuglée par les fantasmagories vertigineuses qu'elle avait devant les yeux, n'a pas su clairement ni vu distinctement ce qu'elle faisait. De même qu'elle appelait l'anarchie liberté, elle a appelé la royauté tyrannie. En réalité, elle n'a pas plus décapité la royauté qu'elle n'a jugé Louis XVI. Elle a le 21 janvier, le même jour, sur le même échafaud, mis à mort un roi agneau et décapité la tyrannie. En menant à fin l'œuvre fatale du régicide, elle a accompli tout ensemble et mêlé dans la même action une grande et terrible justice et une abominable iniquité ; elle a du même coup châtié quelque chose et assassiné quelqu'un.

« Quant à la royauté, la Convention ne lui a fait aucun mal. Un roi est un homme, la tyrannie est un abus ; on peut les tuer. La royauté est un principe comme la liberté elle-même ; or les princ'pes sont immortels, et il n'est pas plus donné à l'anarchie de tuer la royauté qu'à la tyrannie de tuer la liberté.

« Tous les actes de notre Révolution, les actes frénétiques comme les actes grandioses, ont cet aspect d'universalité. Tous veulent atteindre à la fois quelque chose chez tous les peuples et chez tous les hommes, soit pour édifier, soit pour détruire. La Révolution n'anéantit les individus que pour l'idée qu'ils représentent. On vient de le voir pour Louis XVI ; cela n'est pas moins vrai pour les prêtres et pour les nobles. La massue de septembre écrase la superstition, la guillotine tue la noblesse.

« Jamais rien de local, jamais rien de personnel, dans l'intention du moins. Marat est de bronze, Robespierre est de marbre. L'un est la haine, l'autre est l'envie. Ni l'un ni l'autre ne sont des êtres humains. Ce sont des passions vivantes et faites chair, mais n'ayant ni cœur ni entrailles ; ce sont des esprits terribles qui offrent des exemples aux nations.

« Du reste l'œuvre qu'ils accomplissent est formidable. Eux-mêmes sont promis à l'exemple. Ils ont excédé leur mission, ils ont souillé leur principe, ils seront châtiés. Ils ont décrété la fraternité, puis ils ont décrété l'échafaud, ils ont proclamé la concorde et réalisé la mort ; ils donneront l'exemple de l'expiation. Les hommes de révolutions déroulent une longue chaîne et la font tomber dans l'abîme. A chaque chaînon est liée une victime. Ils regardent avec une sorte de triomphe effrayant la chaîne descendre et toutes ces têtes, l'une après l'autre, s'enfoncer en hurlant dans les ténèbres. Tout à coup, ils poussent un cri terrible, ils se sentent tirer vers la chute, ils s'aperçoivent avec épouvante que c'est à leur pied que le dernier chaînon est attaché. Ils reculent, ils se débattent, il est trop tard, le poids de ce qu'ils ont fait les emporte, toute la chaîne est dans le précipice et les entraîne avec elle.

« Ne rouvrons pas ces temps redoutables.

« Ainsi, dans cette époque offerte par la providence à la contemplation du monde entier, tout, jusqu'à l'expiation, a la dimension titanique.

« Ce caractère de généralité colossale, ce caractère de cosmopolitisme propre à la révolution française, n'est nulle part peut-être plus profondément marqué que dans la déclaration des droits de l'homme et du citoyen présentée par Robespierre à la Convention. Cette déclaration se développe et se déploie en trente-huit articles, on pourrait dire en trente-huit versets. On y trouve des choses d'une grandeur extraordinaire qui, si elles étaient plus calmes, si elles n'avaient pas je ne sais quel accent irrité et sauvage, sonneraient presque comme des affirmations de la conscience humaine. Ainsi le paragraphe 28 :

« 28. Il y a oppression contre le corps social lorsqu'un seul de ses « membres est opprimé.

« Il y a oppression contre chaque membre du corps social lorsque « le corps social est opprimé. »

« Ainsi encore les paragraphes 35, 36, 37, 38 :

« 35. Les hommes de tous les pays sont frères, et les différents « peuples doivent s'entr'aider selon leur pouvoir, comme les « citoyens du même Etat.

« 36. Celui qui opprime une nation se déclare l'ennemi de toutes.

« 37. Ceux qui font la guerre à un peuple pour arrêter les progrès « de la liberté et anéantir les droits de l'homme doivent être « poursuivis partout, non comme des ennemis ordinaires, mais « comme des assassins et comme des brigands rebelles.

« 38. Les rois, les aristocrates, les tyrans quels qu'ils soient, sont

« des esclaves révoltés contre le souverain de la terre qui est
« le genre humain, et contre le législateur de l'univers, qui
« est la nature. »

« Qui ne sent que dans ces hautes paroles toute nationalité s'éva-
nouit? Ici le sentiment local se dissout complètement dans le
sentiment cosmopolite. Dans la politique et dans la vie, les intérêts propres des nations veulent être étudiés de plus près. Pour
qui relit, après ces trente-sept années écoulées, le mémorable
document initial de la révolution française, ce n'est point
l'homme d'Etat qui parle, c'est le philosophe, c'est le poète, c'est
le penseur, c'est le rêveur. Mérite immense le premier jour d'une
révolution, immense défaut le lendemain.

« Car, et c'est là qu'il faut en venir, un tel langage, qui est
presque génésiaque, convient à l'aurore des mouvements sociaux
et populaires; mais plus tard, ce haut langage manque de propriété, et ne se superpose plus ni aux idées, ni aux hommes, ni
aux événements de la seconde période.

« Les révolutions vraies se rapprochent, le premier jour, de l'humanité, le deuxième, de la nationalité.

« Le premier jour, dans cet enivrement qui accompagne la pro-
mulgation, et ce qu'on pourrait appeler la découverte des grands
principes, les yeux remplis des sombres éblouissements de l'avenir, on ne peut plus rien savoir du passé, nier l'histoire, rompre la
tradition, raturer au hasard les anciens titres de tout un peuple,
construire à la hâte sur le vieux sol européen, comme si l'on était
sur la terre vierge d'Amérique, une république qui ne tient à rien
autour d'elle, oublier qu'en Amérique une république ne lutte que
contre les sauvages et qu'en Europe elle lutte contre la civilisation; on peut enfin tout tenter, tout essayer, tout recommencer,
tout refaire à neuf, la législation, la constitution, les mœurs,
l'Etat.

« Le deuxième jour on doit se rappeler tout ce qu'on avait oublié
le premier, rentrer dans la pratique et dans l'application, étudier
la réalité, tenir compte de l'histoire, des faits, des traditions, des
nécessités, des habitudes sociales, des préjugés, des mœurs, du
bien et du mal, de tout ce qui constitue l'originalité d'un peuple et
la forme séculaire d'un empire; on doit accepter enfin son pays
tel qu'il est et en tirer le plus de parti possible.

« Or la révolution de 1830 est le second jour de la révolution de
1789.

« Voilà ce qu'ont le tort d'oublier ceux qui après 1830 promul-
guent une seconde fois la déclaration des droits de l'homme et du
citoyen.

« Ils adorent une forme, morte selon les uns, immortelle selon les
autres, mais une forme, au lieu d'étudier et de féconder le fond
vivant. Ils refont le second jour l'œuvre du premier. Ils ne sont
pas de leur temps.

« Et puis, ce qui importe à la grandeur d'un peuple, ce n'est pas la forme république ou la forme monarchie, c'est l'unité de la nation. En soi, à la seule condition qu'elles se produisent selon leur loi locale et naturelle, la monarchie et la république se valent ; la république est capable de pouvoir, la monarchie est capable de liberté.

« Seulement une fois qu'une nation a trouvé la forme sous laquelle son unité se développe le mieux, il faut qu'elle s'y tienne. La forme républicaine, six siècles de puissance et d'accroissement continus le prouvent, était celle qui convenait à Rome ; le jour où la république romaine est devenue empire romain, c'est-à-dire le jour où elle s'est faite monarchie, sa décadence a commencé. La forme monarchique, huit siècles de puissance et d'accroissement continus le prouvent, est celle qui convient à la France ; le jour où la France se ferait république, il lui arriverait ce qui est arrivé à Rome se faisant monarchie. Elle commettrait, en la retournant, la même faute. Un Romain monarchique, un Français républicain, c'est le même homme qui se trompe de la même façon.

« La décadence commencerait. Ceci est tellement vrai que, pour n'indiquer en passant qu'une preuve entre mille, le lendemain du jour où la république fut établie, la fédération se déclara. Or qu'est-ce que la fédération ? la première phase du démembrement. Qu'est-ce que le démembrement ? la mort. Jamais la monarchie n'avait eu besoin de se proclamer une et indivisible.

« L'unité d'une nation est un fait de végétation mystérieuse, et résulte du sol, du climat, des circonstances, surtout du génie propre de la nation elle-même, de son espèce, pourrait-on dire.

« Telle nation vient république, telle autre monarchie. Telle nation se forme du groupe de plusieurs unités et pousse forêt comme l'Allemagne, comme l'Italie au Moyen Age, comme la Grèce dans l'Antiquité ; telle autre nation naît et grandit dans son isolement, prend tout le terrain ou tout l'espace autour d'elle et devient un grand chêne comme Rome, comme l'Angleterre, comme la France. Quand le fait est produit, il est fatal. N'y touchez pas. L'unité, c'est l'absolu. Vouloir refaire autrement cette forme sociale que Dieu a faite ainsi, ce serait attaquer la vitalité même de cette nation. Il n'y a pas d'orthopédie qui redresse et façonnne les peuples à la fantaisie des utopistes. D'une monarchie toute venue on ne peut pas plus faire une république ; et réciproquement, qu'on ne pourrait faire un tilleul d'un orme ou un cèdre d'un sapin.

« Une fois qu'elles sont formées, respectons ces grandes unités monarchiques ou républicaines qui sont la figure même des nations. N'y portons pas la hache par la raison étrange qu'un autre feuillage nous conviendrait mieux.

« Acceptons d'un cœur reconnaissant et pieux l'ombre que nous donne ce grand arbre, ne l'abattons pas. — Ce grand arbre, c'est la patrie.

« Dans tous les cas, que ceux qui avec un esprit élevé, une raison loyale, une volonté droite, une fermeté honnête et généreuse, imaginent de pareilles transformations, en soient avertis ; elles sont impossibles. La France de l'avenir doit se composer des mêmes éléments que la France du passé et la France du présent ; éléments modifiés, mais conservés ; améliorés, mais reconnaissables. La France doit continuer d'adhérer avec elle-même sous peine de n'être plus la France. A la place de cette monarchie, vous voulez une république. Soit. Mais êtes-vous résignés à ceci : ce n'est plus la France. C'est la plantation d'un autre arbre.

« Et puis d'une vieille monarchie de quatorze siècles, cœur, âme, centre, clef de voûte de l'antique continent monarchique européen, faire une toute jeune république soutenue par l'enthousiasme, suspendue dans l'idéal, isolée dans l'azur, quel beau rêve, mais quel rêve!

« En France donc, en admettant qu'au point de vue de la spéculation pure et de l'utopie, la république ait pour elle la logique, la monarchie a pour elle la raison. »

2.2. UNE « MONARCHIE DÉMOCRATIQUE » ?

Pour Hugo, ce régime aboutirait à la « fraternité en Europe » :

Avant d'aller plus loin, faisons toute réserve, et qu'il soit bien entendu que nous ne contestons ici aucun des inconvénients attachés aux dynasties, à la royauté et aux pouvoirs héréditaires, inconvénients moindres sans doute, mais tout aussi réels que les dangers inhérents aux présidences révocables, aux consulats à vie et aux suprématies électives. Ceci dit une fois pour toutes, nous continuons.

Une nation s'incarne parfaitement dans un dynastie et voici pourquoi : — Ce qui constitue une nation, c'est son unité ; or l'unité se compose de deux éléments, l'indivisibilité et la perpétuité. Ces deux éléments, la famille les contient ; on peut dire même absolument qu'elle s'en compose. L'unité d'une famille peut donc se superposer étroitement à l'unité d'une nation, et représenter dans la réalité la plus concrète, évidente à tous les points de vue, soit qu'on l'examine selon la philosophie, soit qu'on l'examine selon l'histoire, l'indivisibilité des peuples par l'individualité royale, et leur perpétuité par l'hérédité. Il est visible qu'ici, et autrement la monarchie est mal comprise, ce sont les familles régnantes qui sont subordonnées aux nations, que les dynasties existent pour le peuple et non le peuple pour elles, et que le jour où elles cessent leurs fonctions, le jour où elles deviennent une gêne ou un péril, elles doivent être remplacées, c'est-à-dire retirées de la politique et reléguées dans l'histoire, absolument comme on installe dans un musée des outils qui ont fait leur temps, des machines hors d'usage ou des armures hors de service.

Ceux-là n'ont pas bien étudié la monarchie et son jeu naturel qui proclament et érigent en principe la nécessité de telle ou telle famille royale. Au point de vue de la politique et de la raison, il n'y a de nécessaire que la civilisation pour l'humanité et la nationalité pour le peuple. Ce qui constitue l'homme d'une part, ce qui constitue le citoyen d'autre part, voilà toute la nécessité politique, voilà le fondement, voilà la base. La monarchie se concilie avec tous ces besoins, avec toutes ces nécessités, et c'est pour cela qu'elle est bonne, mais à la condition de certains renouvellements climatériques qui la rajeunissent et qui donnent, quand l'heure est venue, une jeune sève à son vieux tronc.

Sans doute les familles royales veulent être ménagées et gardées, cultivées avec soin, émondées avec respect, touchées avec précaution; dans l'intérêt de tous il est bon qu'elles durent longtemps; leur longévité même est une image de la longévité nationale. Mais il ne faut jamais oublier qu'elles ne sont qu'utiles, et que c'est la nation qui est nécessaire. La croyance contraire a été, avant et après 1830, l'erreur de tout un parti, fidèle, brave, convaincu, généreux, chevaleresque, mais qui a compromis la monarchie en l'exagérant. La légitimité est à l'hérédité ce que la superstition est à la religion. Ce parti y a perdu, il s'est amoindri et s'est pour ainsi dire retiré à la fois du siècle et de la nation. Erreur fatale et qui doit surtout faire réfléchir les nouvelles générations du vieux royalisme! A quoi bon se faire une petite patrie quand on en a une grande? A quoi bon être de la Vendée quand on est de la France?

C'est un événement grave, difficile, délicat, redoutable, mais qui se reproduit souvent dans l'histoire, que la greffe d'une dynastie sur une monarchie. Cet événement est nécessairement toujours précédé de l'abattement d'une branche royale, d'autant plus nuisible qu'elle est plus décrépite, d'autant plus vénérable qu'elle est plus vieille. Laissons faire la providence. Dieu est le bûcheron de ces grands coups de cognée.

Comme on peut déjà le pressentir d'après tout ce qui vient d'être dit, la monarchie n'exclut en aucune façon la souveraineté du peuple.

La monarchie, la théocratie, l'oligarchie, la république, ne sont que des formes de nations. Or la souveraineté ne peut être dans la forme. La souveraineté est dans l'unité, en d'autres termes, dans la nation. La souveraineté, c'est l'attribut nécessaire, fatal, essentiel, de l'unité. La liberté pour le citoyen, la souveraineté pour le peuple, c'est le même fait, c'est-à-dire la possession de soi-même. Quand les petites unités sont libres, la grande unité est souveraine; quand la grande unité est souveraine, les petites unités sont libres ; cela ne saurait être autrement, depuis que l'Evangile a émancipé l'intelligence humaine. Désormais la grandeur des Etats se composera de plus en plus de la dignité des individus. Sparte était une nation souveraine formée de citoyens esclaves ; Sparte n'était possible qu'avant Jésus-Christ.

Disons-le donc, la monarchie, loin d'exclure la souveraineté du peuple, l'admet et s'y appuie. Les dynasties vivent de la communication immédiate de cette souveraineté, et elles sortent du peuple comme d'une racine.

Tout existe dans la nation et se résume dans la dynastie. Ainsi que nous l'avons dit déjà, l'unité de celle-ci figure l'unité de celle-là. L'une rayonne, l'autre reflète. Pouvoir, puissance, autorité, dignité, indépendance, majesté, grandeur, tout vient du peuple et tout retourne au peuple. Les nations sont, les dynasties représentent.

Le roi n'est et ne doit être autre chose que la nation faite homme. *L'Etat, c'est moi*, disait le roi qui a été le plus roi. Le roi est un abrégé utile du pays, une chair qui doit saigner de toutes les blessures faites à la chose publique, un être intelligent et pensif qui doit avoir un immense cœur par lequel passe et repasse soixante-dix fois par minute tout le sang du peuple.

On le voit, l'idée monarchie ne rejette en aucune façon l'idée démocratie. C'est une erreur de confondre comme on le fait souvent ces deux mots, république et démocratie, et de leur donner le même sens. La république est une machine politique, la démocratie est un fait éternel, la république est acceptable ou contestable, bonne ici, mauvaise là, passagère, périssable, possible ou impossible, selon l'heure et selon le lieu ; la démocratie, c'est l'avenir, c'est la réalité d'aujourd'hui, la nécessité de demain, le but de tout gouvernement intelligent, le fond de la politique humaine, l'œuvre lente, mystérieuse et juste de l'Evangile, la construction même de Jésus-Christ. Discuter la démocratie, chicaner la démocratie, barrer le chemin à la démocratie, c'est discuter le rocher qui se minéralise, chicaner l'astre qui tourne, barrer le chemin à la marée qui arrive. Le peuple s'éclaire absolument comme le vallon, parce que le soleil monte, parce que l'intelligence humaine s'élève. Cette lumière qui se fait, c'est le gouvernement de la démocratie qui commence, car être éclairé, c'est être intelligent, c'est gouverner. Qui redoute la démocratie a peu réfléchi ; il voit dans ce mot ce qui n'y est pas. Bouleversement ? démolition ? ruine ? catastrophe ? écroulement ? non. L'avènement de la démocratie n'est pas une chute, c'est une ascension. Le fait démocratique n'est autre chose que le fait social complètement épanoui. La démocratie se concilie et se conciliera avec la hiérarchie et avec l'hérédité, hérédité du pouvoir, hérédité de l'illustration, hérédité de la propriété, hérédité politique, hérédité sociale, parce que la hiérarchie et l'hérédité sont invinciblement dans la nature comme la démocratie elle-même, et que le propre des grands faits éternels de la nature, c'est de vivre en bon voisinage et de s'admettre les uns les autres. La démocratie peut circuler au-dedans de toutes les formes politiques et les féconder et les nourrir comme la sève nourrit et féconde toutes les végétations.

Il faut donc distinguer et distinguer profondément entre l'idée république et l'idée démocratie. Il y a des républiques despotiques, il y a des monarchies démocratiques.

Terminons par une considération qui ne sera comprise aujourd'hui peut-être que d'un petit nombre d'esprits, mais qui résulte pour nous de la contemplation assidue des linéaments confus de l'avenir.

Tout marche à l'unité de l'Europe, chemins de fer, suppression des douanes, mélange des peuples, circulation des idées, croisement des nationalités. La fusion de l'Europe dans l'esprit français, voilà l'avenir évident, l'avenir désirable. C'est-à-dire plus de chocs de nations, plus de sang versé, un tribunal d'amphictyons, les querelles des peuples jugées et leurs haines conciliées, les luttes de l'esprit remplaçant les luttes de la force, la paix inébranlable substituée à l'antique guerre inextinguible. Qui ne sent que la France république, ravivant toutes les animosités et toutes les défiances européennes, retarderait cet avenir, et que la France monarchie y aidera? Or, nous le demandons aux républicains eux-mêmes, quel est le plus beau résultat pour la révolution française, d'aboutir à la république en France, ou d'aboutir à la fraternité en Europe?

Pour résumer dans un dernier mot notre pensée entière, l'avenir des sociétés n'est dans aucune forme politique, il n'est ni dans la royauté, ni dans la présidence élective, il est dans la démocratie, qui, bien comprise, admet toutes les formes sociales, toutes les constitutions pourvu qu'elles soient libérales, et n'exclut pas plus la monarchie que la république. La démocratie est le complet développement, aidé et garanti par l'Etat, de toutes les facultés de chacun; à chaque intelligence toute la place que son envergure réclame, voilà la vraie égalité. Le jour où la sphère d'action de l'un pénètre et trouble la sphère d'action de l'autre, le despotisme paraît et l'oppression commence. Le progrès définitif de la civilisation humaine est dans la combinaison intelligente et providentielle de ces deux axiomes également évidents et qui ne se contredisent qu'en apparence :

> Tous les hommes sont égaux.
> Tous les hommes sont inégaux.

3. DE L'ÉLECTION
ET DE LA SOUVERAINETÉ

3.1. L'ÉLECTION? UNE INSTITUTION DANGEREUSE

Le suffrage censitaire, en cours à cette époque, inspire les réflexions suivantes à Hugo, qui, ultérieurement, approuvera le suffrage universel :

> Le parti républicain, confondant la souveraineté du peuple avec le principe électif, revendiquait le principe électif et repoussait le principe héréditaire.
>
> Quelques mots sur l'élection.
>
> Si l'élection était absolument bonne, c'est-à-dire infaillible, le gouvernement qui résulterait de l'élection à tous ses degrés depuis la base jusqu'au sommet, en d'autres termes le gouvernement républicain serait le meilleur de tous.
>
> Or l'élection est-elle infaillible? la théorie voudrait b'en dire oui, mais l'expérience dit non.
>
> L'expérience a prouvé que l'élection se trompe et a souvent la main malheureuse. Regardez : quel mode d'élection voulez-vous? est-ce l'élection de bas en haut? elle fonctionne dans les collèges électoraux et elle produit la chambre des députés. Etes-vous satisfaits? non. Est-ce l'élection à niveau? elle fonctionne à l'Institut et produit des académiciens. Etes-vous contents? Pas davantage. Appelez pour remplacer l'Institut tous les lettrés indistinctement, les petits et les grands, les obscurs et les illustres, tous, depuis le dernier vaudevilliste qui aura sa voix jusqu'à Molière qui n'aura que la sienne ; mettez à la place des collèges électoraux le peuple tout entier, les bons et les mauvais, les savants et les ignorants, les travailleurs et les penseurs, les oisifs opulents et les fainéants déguenillés, les indigents et les riches, les maîtres et les ouvriers, tous, depuis votre portier, membre du souverain, jusqu'à Napoléon, membre de la foule ; ce changement fait, quel est le résultat? l'élection meilleure? non. Nous sommes de ceux qui se bornent à croire qu'elle ne sera pas pire. Dans tous les cas, l'élection sera telle quelle ; et, vu l'infirmité des choses humaines, si l'élection est passable, le résultat sera admirable.
>
> Quel que soit le procédé, quel que soit le mécanisme, qui dit élection dit mise en jeu de toutes les intrigues, passions éveillées, calomnies aiguisées, coalition des médiocrités contre le talent, intimidation possible du faible par le fort, corruption probable du pauvre par le riche, exploitation certaine des simples par les habiles, l'intérêt personnel écouté, l'intérêt général oublié, troubles, nuages et visions devant les meilleurs yeux, convocation à jour fixe de toutes les malveillances, de toutes les jalousies, de toutes les ambitions, de toutes les prétentions, de toutes les vanités pour le service de la justice et de la vérité. Le principe

électif a donc ses vices comme le principe héréditaire. L'un est incertain comme le hasard, l'autre est imparfait comme l'homme. D'excellence, point ; ni d'un côté ni de l'autre.

Ajoutons ceci qui semble b zarre au premier coup d'œil et qui est vrai à beaucoup d'égards, c'est que lorsqu'il s'agit de la désignation du chef suprême, l'hérédité est moins blessante pour la dignité humaine que l'élection. En effet, voyez : l'hérédité fait de cet homme le roi ; pourquoi ? parce qu'il s'appelle Bourbon, Bragance, Brunswick ou Orléans. Rien de plus. Ce n'est que la constatation d'un fait ; cela ne met moralement personne au-dessous du roi ; cela le réduit à l'état de principe, et maintient à tous les esprits supérieurs au sien, à toutes les vertus plus hautes que la sienne, le droit de saisir le pouvoir et de gouverner, lui présent, Dieu aidant ; car dans les monarchies constitutionnelles, il ne faut jamais l'oublier, le chef suprême est un chef nominal. L'hérédité, on le voit, laisse la suprématie réelle au concours, permet aux idées, aux lettres, aux conjonctures, de produire le véritable gouvernant, et par conséquent ne froisse en rien la fierté du citoyen. Elle se borne, nous le répétons, à dire : celui-ci s'appelle Bourbon, ou Orléans. Voyez l'élection, au contraire : l'élection fait de cet homme le président de la République, le chef de l'Etat, chef effectif cette fois et non plus simplement nominal. Pourquoi ? Qu'est-ce que cela veut dire ? Cela veut dire que cet homme est le plus capable, le plus honnête, le plus intelligent, le meilleur. L'élection affirme cela ou elle n'affirme rien. Or l'élection peut se tromper, et souvent elle se trompe. Quelle injure pour tous ceux qui sont vraiment meilleurs que le meilleur officiel, plus grands que le plus grand proclamé ! Quel affront pour la dignité de tous que cette exaltation d'une indignité !

Indignité à laquelle il faudra obéir, car la république non moins que la monarchie veut qu'on obéisse. S'en tirera-t-on comme aux Etats-Unis par l'obéissance sans le respect ? Chétive réaction, puérile vengeance de toutes les minutes contre la suprématie qu'on a faite. Mauvaise grâce risible de l'égalité bourrue et morose devant l'autorité qui vient d'elle. En outre sortez de ceci : ou le chef de l'Etat est digne de son élection, et alors il mérite le respect ; ou il est indigne de son élection, et alors il ne mérite pas l'obéissance.

En somme, il ne faut rejeter ni le principe électif, ni le principe héréditaire. Tous les deux ont leur racine dans le cœur même de l'homme, et les inconvénients de l'un et de l'autre ont cela de particulier que dans la plupart des cas ils se neutralisent en se combinant. Pour que tous les besoins et tous les instincts de l'homme civilisé soient satisfaits, il faut de l'élection et de l'hérédité dans l'Etat. Le gouvernement parlementaire remplit ce double objet.

3.2. « LA SOUVERAINETÉ, C'EST LA SOLITUDE »

A parler absolument, la souveraineté, c'est la solitude. Dieu est seul.

C'est là l'idéal de la vieille monarchie. Partout où elle est pure, absolue, divine, le prince est seul. Solitude double ; seul dans sa puissance, seul dans son palais. Ainsi tous les antiques souverains de l'Asie, le lama, le mogol, l'empereur de la Chine. Ainsi en Europe, le sultan, le pape, et le roi d'Espagne, cette espèce de calife catholique, ce prince plutôt oriental qu'européen, presque africain par les mœurs, presque asiatique par l'étiquette.

De la solitude naissent, en théorie du moins, l'inviolabilité et l'irresponsabilité. Ces trois éléments composent essentiellement et constituent politiquement la souveraineté.

De ces trois éléments l'idée moderne de monarchie n'a admis que les deux derniers. Elle a substitué à la solitude le partage.

Voici de quelle façon :

L'ancienne monarchie prenait pour point de départ la famille ; la nouvelle prend pour point de départ la nation. L'ancienne reposait sur la souveraineté du père ; la nouvelle proclame la souveraineté du peuple.

Or trois choses... — ce nombre trois est au fond de tout ; Dieu lui-même se décompose en trois. — Je reprends :

Trois choses constituent un peuple : son unité, qui fait qu'il est lui-même et non un autre ; sa forme, qui se complique nécessairement de haut et de bas et qui fait qu'il a des sommets toujours lumineux ; sa vie enfin, c'est-à-dire le mouvement de ses idées, la lutte de ses passions, la circulation de ses intérêts.

Dans la monarchie moderne, l'unité de la nation est représentée par le roi héréditaire ; la forme de l'Etat, par la pairie, qui devrait être aussi partout héréditaire, et qui se compose de tous les sommets ; la vie du peuple, c'est-à-dire ses idées, ses passions, ses intérêts, par la chambre des députés ou des communes. Trois faits, trois droits, trois pouvoirs.

Chacun de ces trois pouvoirs a sa part de souveraineté, part inégale comme la fonction.

La royauté est souveraine ; elle est inviolable et irresponsable. Le roi se confond absolument avec la royauté. Son inviolabilité et son irresponsabilité le placent dans tous les cas au-dessus de la loi. En cas même de délit ou de crime personnel qui serait commis par lui comme homme, la loi ignore et nie, et ne l'atteint pas. Le roi ne peut commettre ni crime, ni délit.

La chambre des pairs est souveraine ; elle est inviolable et irresponsable. Le pair, inviolable et irresponsable, est politiquement souverain. Il se confond avec la chambre ; seulement, il peut commettre des crimes et des délits ; alors son inviolabilité et son irresponsabilité cessent. La loi le saisit, et la chambre se sépare de lui pour le juger.

La chambre des députés est souveraine ; elle est inviolable et irresponsable ; mais le député ne se confond pas avec elle. Il n'est inviolable que six semaines avant et six semaines après la session ; pour tous ses actes personnels, il relève de la loi pénale et de la juridiction commune ; enfin il peut cesser d'être député, et alors la chambre ne le connaît plus.

Je viens de le dire, la chambre des députés représente la vie, de là sa physionomie variable, multiple, mobile, tumultueuse. C'est là un rôle immense ; mais qu'on ne l'oublie pas, les deux autres pouvoirs n'ont pas une fonction moins nécessaire. Se représente-t-on la vie sans la forme, et la forme sans l'unité ?

JUGEMENTS

« *Hugo est un terrible accapareur de public et de critique* », écrivait en 1861 Jules de Goncourt à Flaubert. De fait, rarement livre fut, dès sa publication, aussi vivement commenté et plus diversement jugé que les Misérables en 1862. À quelques réserves près, la critique paraît, dans son ensemble, reconnaître les qualités littéraires de l'ouvrage; elle reste, par contre, très divisée sur les thèses philosophiques et sociales de Hugo, qui sont l'objet de controverses passionnées.

C'est un livre sans conscience, une élucubration mal digérée, mal conçue, attentatoire à la sagesse, ennemie de la religion, pleine d'erreurs, entachée de mensonges, regorgeant de divagations scandaleuses, prêchant toutes sortes de méchantes utopies et proclamant une foule de systèmes coupables. [...]
Insultez la religion, abreuvez d'outrages le père des chrétiens, ou plaidez insolemment sa cause, avec la réserve de saisir une occasion plus certaine de le perdre un jour — comme ce casseur de vitres qui s'intitule philosophe et qui se fera pendre tôt ou tard, espérons-le, quand il ne trouvera plus d'autre moyen d'occuper le public de sa triste personnalité.

Eugène de Mirecourt,
les Vrais Misérables (1862).

Le dessein du livre de M. Hugo, c'est de faire sauter toutes les institutions sociales, les unes après les autres, avec une chose plus forte que la poudre à canon qui fait sauter les montagnes, avec des larmes et de la pitié. Il s'est dit, avec assez de raison, que, dans l'humanité, ce qui fait la foule, le nombre et les publics, ce sont les femmes et les jeunes gens, ces femmes momentanées qui bien souvent restent femmes toute leur vie par impossibilité de mûrir et indigence de cerveau, et c'est sur tous les cœurs, peu surmontés de tête, qu'il a essayé d'opérer. [...]
C'est pour tous ces cœurs, impétueusement ou tendrement sensibles, qu'il a combiné les effets d'un livre, arrangé de manière à donner toujours raison à l'être que la société punit. Conception, je l'ai dit, méprisable, mais rendue formidable par l'exécution.

Jules Barbey d'Aurevilly,
les Misérables de M. V. Hugo, dans *le Pays* (1862).

Tous les ouvrages de M. Hugo prêtent largement à la raillerie. Il n'a point de goût, point de mesure, point d'esprit, et je crains qu'il ne se croie de l'esprit; il aime à passer du grandiose au grotesque, et il prend aisément le grotesque pour le grandiose; il est très injurieux, très lourd et très furieux dans l'injure, ce qui donne envie et rend facile de lui appliquer la peine du talion; il a une rage d'imiter le mauvais chez lui-même et chez les autres, qui le fait clapoter longuement dans les mares odieuses et épaisses; il s'oublie à des parades également indignes de son sujet, de son âge et de sa valeur. Aucun de ces défauts ne manque dans les deux premiers volumes des *Misérables*, et l'on peut compter qu'ils ne manqueront pas dans les volumes suivants. On y trouve des calembours, des grimaces de la foire, des jovialités qui traînaient déjà il y a trente ans. Tout cela est imité de Shakespeare, de *Notre-Dame de Paris* et du *Tintamarre*; tout cela est vieux, pesant et fait de la peine. Je le note pour protester contre le mauvais goût qui prodigue de telles verroteries sur une étoffe vraiment admirable, et contre la décadence qui préfère la verroterie aux diamants.

Louis Veuillot,
« Etudes sur Victor Hugo »,
dans la *Revue du monde catholique* du 25 avril 1862.

M. Hugo n'a pas fait un traité socialiste. Il a fait une chose que nous savons par expérience beaucoup plus dangereuse. Il a renouvelé en 1862, sous un régime bien différent, les tentatives qui ont marqué les premiers débuts du socialisme, en pleine liberté sous le dernier règne. Il a mis la réforme sociale dans le roman; il lui a donné la vie qu'elle n'avait pas dans les fastidieux traités où s'étale obscurément sa doctrine, et avec la vie le mouvement, la couleur, la passion, le prestige, la publicité sans limites, la popularité à haute dose, l'expansion à tous les degrés et à tous les étages. Non seulement il a mis le plus vigoureux talent au service de ses idées, mais il les a couvertes cette fois, pour tenter le respect des hommes, d'un manteau religieux. La religion est bonne partout, si elle est sincère. J'ai assez dit que je ne suspecte pas la sincérité de M. Victor Hugo; j'ai assez montré ce que le libéralisme le plus radical peut emprunter aux idées chrétiennes. J'ai assez marqué la limite où cette association s'arrête. Le christianisme ni sa morale ne se prêtent pas à toutes sortes d'alliances.

Cuvillier-Fleury,
dans le *Journal des débats* du 29 avril 1862.

Applaudi, il l'a été souvent et il le sera cette fois encore à cause des incomparables qualités du style qui n'a jamais été chez lui d'un éclat plus étincelant, d'un jet plus intarissable et plus jeune, il le sera comme en ses plus beaux jours pour la vigueur continue des effets, le pathétique de la plupart des scènes et même, qualité plus nouvelle et plus inattendue, pour la vivacité spirituelle et le relief comique des observations. Tout le monde voudra s'égarer dans cette forêt vierge où tant de choses bruissent et bourdonnent, où des pièges sans nombre disparaissent dissimulés sous les richesses de la luxuriante nature; où la fleur attire, où la ronce retient; où le faible peut être tué par le parfum trop âcre de certaines plantes, mais où personne, même le plus fort, ne sortira sans être enivré.

Edouard Fournier,
dans *la Patrie* (1862).

De tous temps, les grands écrivains ont pansé et fait crier les plaies de leur siècle; c'est leur privilège et c'est leur devoir.

Les tragédies réelles, comme celles du théâtre, doivent exciter la terreur, pour inspirer la pitié.

Une société n'est pas une femmelette : il est permis de lui faire mal aux nerfs, si c'est pour émouvoir sa conscience. Elle a le droit d'exiger de ses peintres l'impartialité, mais non la flatterie. L'Angleterre, qui n'est pas suspecte, permet à ses romanciers de lui montrer, toutes nues et toutes saignantes, les horreurs de son paupérisme. Elle ne rejette pas, avec colère, ces livres tragiques; elle les étudie et elle en profite.

Quant à l'exécution des *Misérables*, elle est, sans doute, d'une beauté terrible et d'une incomparable énergie. Ce n'est pas à un tel peintre qu'il faut demander des tons amollis. La force est l'essence même de ce grand esprit; il laisse à ce qu'il touche des marques profondes; sa plume s'étale sur les choses, comme la griffe du lion sur le sable. Mais ce qui frappe justement dans cet amoncellement de misères si hardiment exposées, c'est l'impartialité qui les domine, la sérénité qui y règne, la puissante intelligence qui les observe, et qui sait, au besoin, absoudre la cause de l'effet.

Paul de Saint-Victor,
dans *la Presse* (1862).

Analyser *les Misérables*, je n'y songe pas. Une fois que d'eux on a dit : c'est beau! on n'a pas assez dit encore. Il est des œuvres qu'il est impossible de raconter et de glorifier, tant elles nous dépassent. Je ne comprends un article bien fait sur un tel livre qu'à la condition d'être écrit par Victor Hugo lui-même. Malgré leur divine harmonie, *les Misérables* dépassent la portée de l'œil. Il en est d'eux comme de ces montagnes qui vous écrasent et vous anéantissent par leur effrayante grandeur; devant elles, on tremble, on a peur et on s'agenouille.

Albert Glatigny,
dans *Diogène* (1862).

Bien que, comme l'atteste le succès de l'ouvrage, un courant dominant se dessine assez rapidement en faveur des *Misérables*, on rencontrera jusqu'à la fin du siècle les mêmes critiques à l'égard du fond et de la forme du roman.

Ce qui fait de ce livre un livre souvent dangereux pour le peuple, dont il aspire évidemment à être le code, c'est la partie dogmatique, c'est l'erreur de l'économiste à côté de la charité du philosophe; en un mot, c'est l'excès d'*idéal*, ou soi-disant tel, versé partout à plein bord, et versé à qui? à la misère imméritée et quelquefois très méritée des classes inférieures, négligées, oubliées, suspectes, souvent coupables, à la misère de la partie souffrante de la société; idéal faux, qui, en se présentant à ces misères déplorables, imméritées ou méritées, de l'humanité *manuellement* laborieuse, présente à ses yeux la société comme une marâtre sans entrailles, qu'il faut haïr et logiquement détruire de fond en comble pour faire place à la société de Dieu. Voilà le monstre (nous disons ce mot *monstre* dans son sens antique, c'est-à-dire prodige), voilà le livre que nous avons essayé d'analyser ici en le condamnant quelquefois et en l'admirant presque toujours. C'est le romantisme introduit dans la politique.

Lamartine,
« Considérations sur un chef-d'œuvre ou le Danger du génie »,
dans le *Cours familier de littérature* (1863).

Nous ne nous permettrons pas d'analyser un livre admiré par ceux qui nous lisent. Depuis Jean Valjean jusqu'à Gavroche, tous les personnages, tous les types des héros des *Misérables* sont universellement connus.

Personne qui n'ait été ému par la grâce et la tendresse des peintures, par le relief des physionomies et la netteté des caractères, par la vigueur des tableaux. La grandeur de cet ensemble émouvant, l'art de la composition, la hardiesse et la richesse du style expliquent pourquoi, non seulement en France, mais encore partout où les hommes savent lire, on lut *les Misérables*.

« Il y a, nous disait un jour le poète, il y a entre la foule et moi, je ne sais quoi qui fait que nous nous comprenons. »

C'est le cœur des peuples qui va droit à son cœur.

Les Misérables se répandirent dans tous les pays.

Alfred Barbou,
Victor Hugo et son temps (1881).

J'essaie de faire équitablement la part des qualités et des défauts, et ce n'est pas chose facile dans une œuvre aussi considérable.

A la différence des deux premiers volumes, où les beautés l'emportent, dans les huit derniers ce sont les défauts qui dominent. L'auteur s'y montre excessif dans la composition, le dessin, la couleur. L'action tourne souvent au mélodrame; d'autres fois, ce qui est pire, elle s'arrête, pour laisser la place libre à des digressions, qui sont pas même des épisodes. Il arrive alors que le livre est ennuyeux, ce qui est un grave défaut pour un roman. Il semble que tout soit perdu; il n'en est rien pourtant. Le grand artiste se retrouve, il force notre admiration, il nous charme ou nous émeut, soit lorsqu'il nous peint, avec des détails si charmants, la petite Cosette dans le cabaret de Thénardier ou les deux petits frères de Gavroche dans le jardin du Luxembourg; soit lorsque, dans une eau-forte énergique, pleine d'ombre et de jeux de lumière, comme celles de Rembrandt, il fait passer sous nos yeux la *cadène*, la chaîne des galériens, ou qu'il retrace, avec la fougue et le coloris d'Eugène Delacroix, l'attaque et la défense de la barricade de la rue de la Chanvrerie. Un souffle épique traverse ces pages qui sentent la poudre, et dans lesquelles le poète a eu le tort de *dorer la barricade*, mais qui, au point de vue de l'art, sont d'une incontestable puissance.

Edmond Biré,
Victor Hugo après 1852 (1894).

XXe SIÈCLE

Les querelles partisanes s'éteignent progressivement. La critique s'applique à définir la place exacte de l'ouvrage dans l'histoire de la littérature et des idées, tandis qu'un certain nombre de travaux spécialisés en proposent une interprétation en profondeur.

Les tableaux de la misère et de la dégradation morale, dans les *Misérables*, sont vivants et poignants, avec un caractère d'émotion réelle qui est loin de se rencontrer chez tous les romanciers qui ont traité de semblables sujets. Les tirades de déclamation pittoresque, chez Thénardier, une fille Eponine, et autres personnages des bas-fonds sociaux, ont, dans leur réalisme, une tournure poétique, par où le style relève singulièrement le fond. Le détail des sensations éprouvées par un malheureux, dans le dénûment, ressemble si peu à des choses imaginées qu'il nous rappelle plutôt l'observateur pénétrant, exact quand il a voulu l'être, si fidèle en ses récits de faits et de paroles, notés comme « choses vues » ou entendues [...].

Charles Renouvier,
Victor Hugo le philosophe (1900).

A côté de toute une part de poésie souvent grandiose, il y a en effet dans les *Misérables* un côté réaliste, presque naturaliste, et qui même prélude à l'œuvre de Zola. Car Zola, qui l'a tant attaqué dans sa jeunesse, procède de Hugo. C'est une espèce de Hugo qui a vraiment accompli tout le programme romantique, celui des sorcières de Macbeth : « Le beau est le laid », disaient sur la lande ces farouches esthéticiennes. Hugo, qui, du romantisme, avait d'abord vu sortir sans étonnement ses enfants parnassiens et réalistes, a fini par se cabrer contre les exagérations et les ignominies de certains naturalistes. Nous avons vu que Hugo murmurait en souriant : « Une rose est aussi vraie qu'un chou. » On pourrait dire qu'il est le Zola de la rose.

Tout le Paris de 1830 revit dans les *Misérables*, ses hommes du peuple, ses bourgeois, ses mouvements de foules, ses révolutions, ses combats de rues, ses barricades, avec les sentiments et les idées de cette époque. En somme, les *Misérables* sont à 1830 ce qu'est l'*Education sentimentale* à 1848, et il ne serait pas étonnant d'ailleurs que Flaubert, quand il a écrit l'*Education*, s'en soit souvenu : il avait reçu avant Zola le coup de soleil des *Misérables*. Il ne serait pas étonnant non plus que le « grand livre de l'Occident », comme dit d'Annunzio dans *l'Intrus*, que *Guerre et Paix* de Tolstoï procédât aussi du roman de Hugo. En vérité, *les Misérables* sont un très grand livre.

Fernand Gregh,
l'Œuvre de Victor Hugo (1933).

Le succès des *Misérables*, nous le savons, fut prodigieux dans tous les mondes et dans toutes les langues, car tous les peuples le traduisirent. C'est que rarement œuvre n'a été plus droit au cœur des foules, rarement roman n'a eu sur elles plus de prestige et d'influence; c'est par *les Misérables* que Victor Hugo est resté en contact direct avec le peuple; ce roman n'a pas connu une heure d'éclipse et, après 85 ans, il demeure aussi lu qu'à l'époque de sa parution. Non seulement nul ne l'ignore dans les plus modestes classes de la société, mais, même dans les maisons de détention, il est un livre avidement demandé; Fantine, la fille publique régénérée par l'amour maternel, Jean Valjean, l'ancien forçat grandi par la bonté, Gavroche, l'enfant du ruisseau gouailleur et héroïque, autant de figures qui ont profondément troublé ceux qui ont lu *les Misérables*, même les plus pervers. Quand une œuvre atteint un tel but, elle est classée et aucune critique n'y pourra rien : elle est une grande œuvre, une œuvre bonne, socialement utile. Par surcroît le génie de l'écrivain l'a marquée de son sceau de styliste.

Georges Froment-Guieysse,
Victor Hugo (1948).

Tout cela fait des *Misérables* beaucoup plus qu'un roman social, et même socialiste (« clarifier la populace et en extraire le peuple », écrit sans illusion Hugo dans sa Préface) : le roman romantique par excellence, c'est-à-dire à la fois romanesque et missionnaire, où réalisme et idéalisme sont confondus. Si Hugo approche d'une œuvre mystique, c'est bien là. Les discussions passionnées que souleva le livre à son apparition montrent que les contemporains ne s'y sont pas trompés : « C'est l'Evangile du XIXᵉ siècle. Tous l'ont compris », riposte un jeune journaliste, Ed. Fournier, à Barbey d'Aurevilly. C'est un roman *apostolique*, et par là, comme l'a remarqué A. Le Breton, beaucoup plus proche de sa postérité russe, de Tolstoï surtout, qu'à aucun moment de Zola.

Jean-Bertrand Barrère,
Hugo, l'homme et l'œuvre (1952).

En 1839, l'auteur s'était promis de traiter « cette grande question » : travail en plein air ou incarcération cellulaire? Le moment semblait venu. Le roman de 1862 n'y fait aucune allusion. L'auteur nous mène à la prison de la Force où régnait le régime en commun. Il en décrit quelques inconvénients; il ne dit pas un mot des réformes pratiques qu'on pourrait adopter et que l'on commençait à apporter au régime des prisons. Lui qui s'inquiète ailleurs des variations de la topographie parisienne depuis qu'il a quitté Paris, il signale à peine que, depuis les événements décrits, la maison de la Force a été détruite. Balzac ne commet pas la même omission. La même observation pourrait être répétée à propos de la « chaîne ». Victor Hugo la décrit longuement, sans songer à nous dire que la chaîne a cessé d'exister. Quand il écrit *les Misérables*, il semble oublier ses enquêtes sur les prisons et les réformes qui avaient été entreprises dans nos pénitenciers.

Est-ce donc qu'il désapprouve ces efforts? Nous ne le croyons pas. Mais c'est un signe qu'il place ailleurs l'essentiel de son espoir. Pour cet idéaliste convaincu, une seule action sera vraiment efficace sur les condamnés, celle exercée par un apôtre qui les aimerait et se dévouerait tout entier à eux. De là, le rôle que l'écrivain paraît accorder à l'aumônier des prisons.

P. Savey-Casard,
le Crime et la peine dans l'œuvre de Victor Hugo (1956).

Délaissant ses antithèses préférées, limitées jusque-là à beauté et laideur, Hugo porte désormais son choix sur l'antagonisme de la réalité et des principes, l'une s'attachant parfois à l'individu comme un boulet de forçat et l'avilissant, les autres le transfigurant. En progrès sur celui de Quasimodo, le drame de Jean Valjean n'est plus intérieur, mais social. En outre, à la présence des foules, qui jouait dans les premiers romans un rôle dramatique ou pittoresque, Hugo substitue celle de la société. Chaque personnage parcourt la carrière sous les yeux du public, qui voit en lui un de ses enfants et non pas un étranger.

Raouf Simaika,
l'Inspiration épique dans les romans de Victor Hugo (1962).

Hugo éprouve pour le peuple le grand respect qu'inspire la souffrance : « Misérable signifie vénérable. » Aussi ne veut-il pas s'attarder à la peinture de sa misère pour en tirer des effets trop faciles : l'existence de Fantine à Montreuil, le récit fait par Champmathieu de sa pauvre vie suffisent à l'évoquer. Hugo n'incorpore pas au peuple les Thénardier, ni les bandits, et du Cabuc qui assassine un homme sur la barricade, il finit par ne plus faire qu'un mouchard. Il ne veut pas voir dans le peuple une classe fermée sur elle-même, excluant quiconque est né en dehors d'elle. L'évêque, dont l'action rayonne dans toute l'œuvre, est en communion avec lui, et sur la barricade s'accomplit le sacrifice fraternel de « ceux qui pensent et de ceux qui souffrent ». C'est du côté du peuple que Hugo se range, c'est au peuple qu'il donne ce qu'il croit avoir de meilleur en lui-même, sa foi en la conscience et en l'homme. Le peuple, c'est pour lui l'âme confuse et bonne d'Eponine, la générosité et l'intrépidité de Gavroche, c'est Fantine, la frêle victime innocente, et Jean Valjean, le juste souffrant et triomphant, tous sortis des profondeurs de la misère. La lutte menée par le peuple est celle de Dieu, parce qu'elle est celle de l'âme qui dans l'univers veut sortir de la matière et réaliser, comme il est dit au dernier vers de *Plein Ciel*, « la liberté dans la lumière ». Il n'est que Michelet pour avoir su créer à cette époque un autre mythe du peuple.

René Journet et Guy Robert,
le Mythe du peuple dans « les Misérables » (1964).

[Hugo] s'engage à fond. Totalement, il s'identifie à son héros et tout entier, avec sa réussite sociale, ses idées, sa colère contre les uns, sa pitié pour les autres, ses écrits, son génie, il s'abîme dans la dérision. Ceci montre sans doute moins l'incomplétude et l'inefficacité du métier littéraire, ainsi que je le suggérais tout à l'heure, que la volonté d'exposer ce métier à la même fatalité que celle qui pèse sur tous les hommes. Non seulement le langage sert à raconter l'histoire de ceux qui, silencieusement, témoignent de leur force par leur faiblesse, mais il est à son tour abnégation, souffrance, torture en vue d'autre chose que lui-même. Il doit passer par le purgatoire de l'incommunicabilité pour toucher au but et n'aboutir à la pureté qu'à travers mille revers.

Autrement dit, il existe un roman du romanesque hugolien dont la forme et la structure sont comparables à son contenu dramatique, moral, métaphysique. Hugo romancier est un Jean Valjean qui, en immortalisant ce personnage, s'est battu comme lui contre lui-même, contre ses propres dehors d'homme de lettres, son confort éthique et même sa virtuosité artistique pour déboucher soit dans l'avenir, devant nous, soit dans l'absolu, devant Dieu, lavé par l'épreuve, rédimé.

Georges Piroué,
Victor Hugo romancier ou les Dessus de l'inconnu (1964).

SUJETS DE DEVOIRS ET D'EXPOSÉS

NARRATIONS ET LETTRES

• Javert écrit à l'un de ses collègues pour lui faire part de son indignation à l'issue de la scène où M. Madeleine l'a empêché d'emprisonner Fantine.

• Imaginez les réactions contradictoires des administrés de M. Madeleine après que celui-ci a été identifié comme le forçat Jean Valjean.

• Cosette, pensionnaire du Petit-Picpus, raconte à ses camarades sa vie chez les Thénardier et l'irruption de Jean Valjean dans son existence.

• Avant de mourir, Jean Valjean rédige un journal dans lequel il passe sa vie en revue et essaie d'en établir le bilan.

• Dans une lettre à un ami, Marius raconte la fin de Jean Valjean et confesse ses torts à l'égard du vieillard.

EXPOSÉS ET DISSERTATIONS

• Le romantisme des *Misérables*.

• Le réalisme des *Misérables*.

• Le symbolisme des *Misérables*.

• Hugo polémiste d'après les *Misérables*.

• Les *Misérables*, roman populaire.

• Les *Misérables*, roman engagé.

• Le thème du sacrifice dans l'*Eloa* de Vigny, le *Jocelyn* de Lamartine et les *Misérables* de Victor Hugo.

• « Le livre que le lecteur a sous les yeux en ce moment, c'est, d'un bout à l'autre, dans son ensemble et dans ses détails, quelles que soient les intermittences, les exceptions ou les défaillances, la marche du mal au bien, de l'injuste au juste, du faux au vrai, de la nuit au jour, de l'appétit à la conscience, de la pourriture à la vie, de la bestialité au devoir, de l'enfer au ciel, du néant à Dieu. Point de départ : la matière; point d'arrivée : l'âme. L'hydre au commencement, l'ange à la fin. » C'est ainsi que, dans un chapitre des *Misérables* (V° partie, V, 20), Hugo définit l'objet de son roman. Vous semble-t-il avoir atteint le but qu'il s'était fixé?

• Pensez-vous que l'on puisse dire avec A. Grenier (le *Constitutionnel*, 1862) que « les *Misérables* sont la négation des principes sur lesquels repose la société, des expériences qui confirment ces principes, des institutions qui les traduisent et les sauvegardent »?

● Paul Voituron écrivait dans le *Journal de Gand,* au lendemain de la publication des *Misérables* : « Victor Hugo ne déclame pas contre la société, il laisse parler les faits, car l'histoire de Jean Valjean est vraie dans ses parties principales. Il pose les problèmes. Il faudrait qu'il les résolve, dites-vous? Eh! non; cela n'appartient pas à un homme, quelque grand qu'il soit : l'humanité entière résout les problèmes qui l'intéressent; le génie et la science proposent; Dieu et l'humanité, qui souvent n'est que son instrument, disposent. » Partagez-vous l'opinion de ce critique? Dans quelle mesure s'applique-t-elle, selon vous, au roman à propos duquel elle est formulée?

● Pourquoi Hugo a-t-il, à votre avis, fini par isoler Jean Valjean dans ce que René Journet et Guy Robert *(le Mythe du peuple dans « les Misérables »)* appellent « une sorte de folie du sacrifice »?

● Vous discuterez cette affirmation de Louis Veuillot dans la *Revue du monde catholique* (1862) : « Nous avons ici plus et mieux que l'erreur vulgaire ou rajeunie : on y sent un souffle de justice, un souffle de foi chrétienne et catholique, par conséquent; souffle court et mêlé, mais brûlant, parfois sublime. »

● « L'auteur des *Misérables,* écrit Edmond Biré *(Victor Hugo avant 1830),* est à ce point le contraire d'un réaliste que, lorsqu'il a à peindre un homme de police, il ne peut se défendre de l'idéaliser, et il fait de Javert un mouchard sublime! » Un tel jugement vous paraît-il pouvoir s'étendre aux différents protagonistes du roman?

● Ce jugement de Barbey d'Aurevilly rend-il, à votre avis, entièrement justice au romancier des *Misérables* : « Chez M. Victor Hugo, le talent est surtout le style, c'est l'expression, c'est l'invention dans le verbe, c'est enfin toute cette matérialité enflammée de mots et d'images qu'on peut ne pas aimer, mais dont on ressent la puissance »?

● Que pensez-vous de cette déclaration de Rimbaud (lettre à Paul Demeny du 15 mai 1871) : « *Les Misérables* sont un vrai poème »?

● Vous expliquerez et, s'il y a lieu, discuterez cette remarque de critiques contemporains (Journet et Robert : *le Manuscrit des « Misérables »*) sur le roman des *Misérables* : « L'intrigue est profondément organisée, les épisodes se répondent et leur enchaînement complète la valeur symbolique de chacun d'eux. Sur la variété sans limite du réel, le mythe simple et puissant domine. »

● « Pour les écrivains du début de ce siècle, rien ne paraissait aussi différent que Hugo et que Mallarmé. La plupart de nos parents ou grands-parents, s'ils connaissaient les deux, s'imaginaient qu'on ne pouvait les aimer à la fois. Peu à peu l'éloignement nous permet d'apprécier leurs profondes affinités, et bientôt il deviendra évident pour tous qu'on ne peut vraiment comprendre l'un sans l'autre », écrit Michel Butor dans un article intitulé « Victor Hugo romancier » (*Tel quel,* n° 16). Le rapprochement qu'il opère ainsi vous paraît-il légitime et pensez-vous que l'on puisse considérer l'auteur des *Misérables* comme un écrivain hermétique?

TABLE DES MATIÈRES

Mame Imprimeurs - 37000 Tours.
Dépôt légal Décembre 1972. – Nº 21864. – Nº de série Éditeur 14914.
IMPRIMÉ EN FRANCE *(Printed in France).* – 870 065 H Mars 1989.